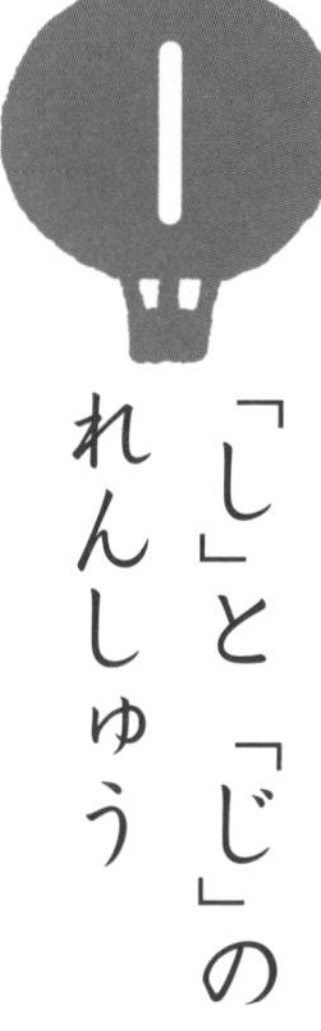

1 「し」と「じ」の れんしゅう

がつ にち なまえ

おうちのかたへ
1枚ずつはがして、お子さまに渡してください。おもて面でひらがなを3回なぞり、2回自力で書いたあと、ことばのなかでくり返し練習します。白いマスに自分でひらがなを書くことは、最初は難しく感じるかもしれません。うら面が難しいときは、もう一度おもて面を見るか、イラストの右上のひらがなを手がかりにして書くよう、声をかけてあげてください。

ことばを よみましょう。ひらがなを かきましょう。（なぞりましょう。）

し

しまうま

しか

☆「J」のような鏡文字にならないように気をつけましょう。

じ

じてんしゃ

☆「『じ』は『し』にてんてんよ」などと教えてあげましょう。

くじら

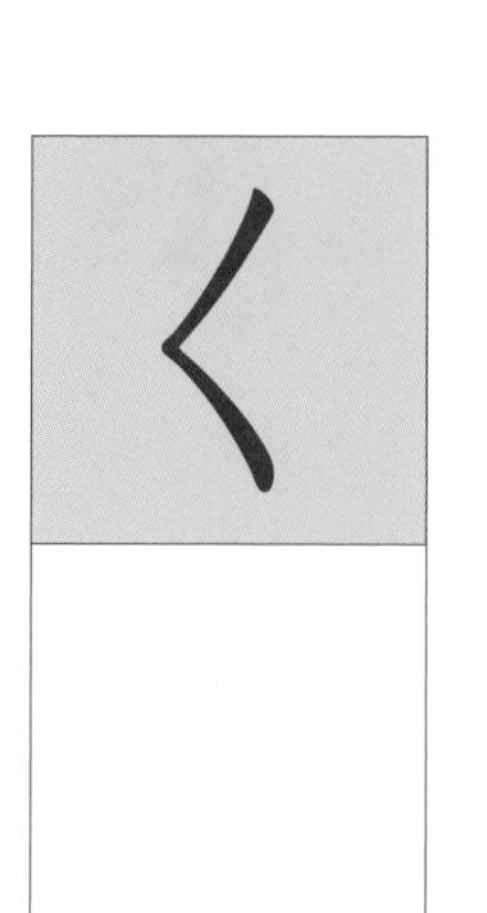

D1279169

えを みて、ひらがなを かきましょう。
こえに だして ことばを よみましょう。

(1) うし
う□

(2) しんぶん
□んぶん

(3) にじ
に□

(4) ひつじ
ひつ□

(5) しろくま
□ろくま

(6) じどうしゃ
□どうしゃ

2 「つ」と「づ」の れんしゅう

がつ　にち
なまえ

おうちのかたへ
本書では、書きやすいひらがなから順に、また、字形の似たひらがなは続けて練習するようにしています。なぞり書きの最初には、書き順を入れていますので、「①②③の順になぞろうね」と、声をかけてあげましょう。一画目の書き出しは「①→」と青字にしていますので、いつも青からなぞることを教えてあげてください。書く前に、お手本の文字を、書き順どおり指でなぞってみるのもよいでしょう。

ことばを よみましょう。ひらがなを かきましょう。（なぞりましょう。）

つ

つみき

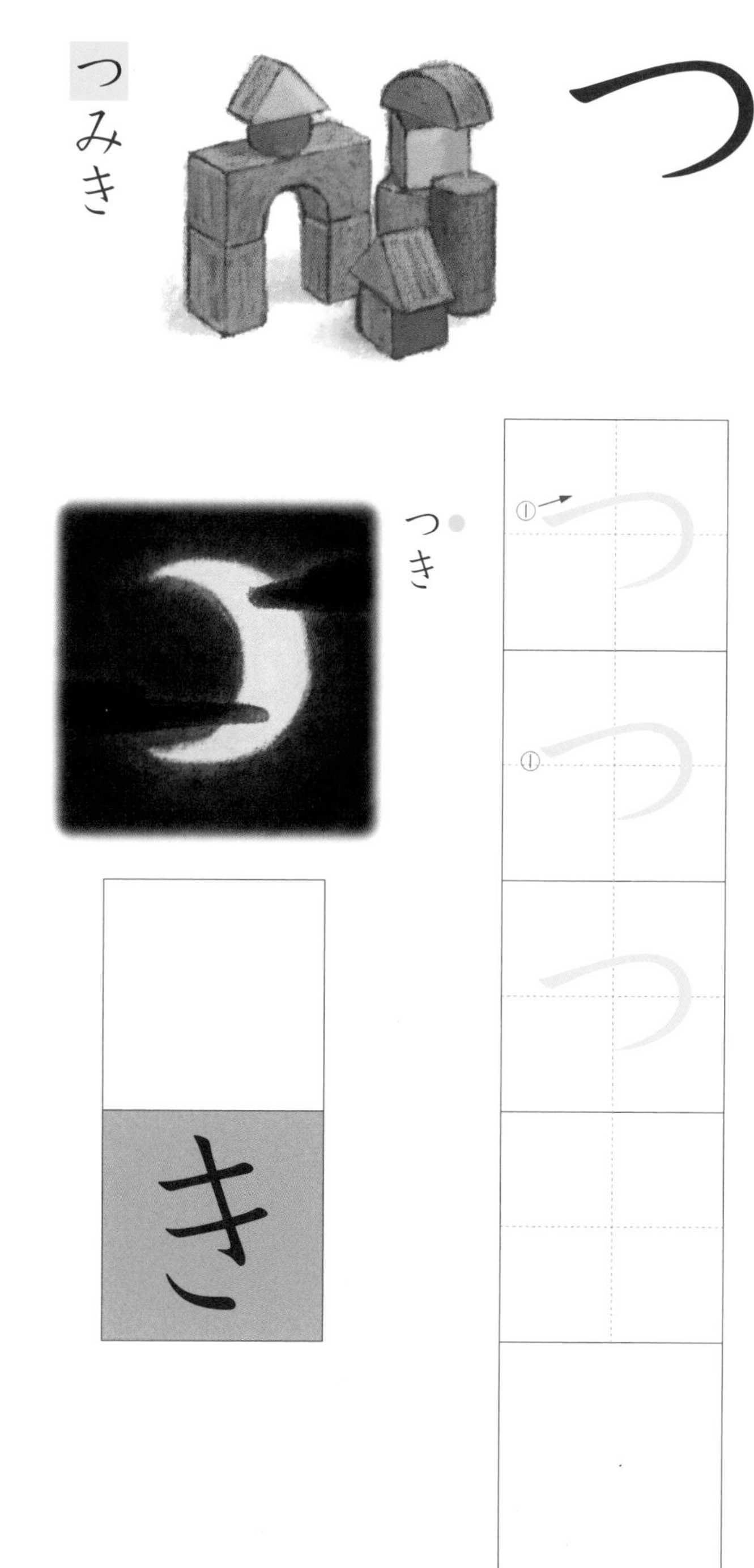

つき

づ

かんづめ

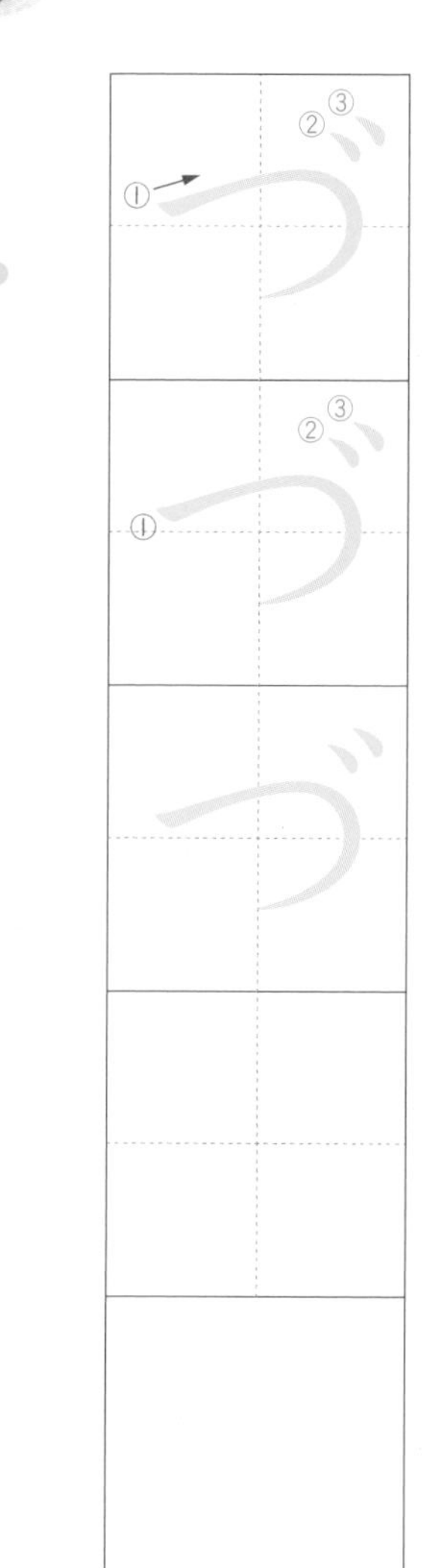

☆「づ」は、使う機会がとても少なく、また、「ず」とまちがえやすいので、ことばのなかで覚えるとよいでしょう。

ひづめ

ひ　め

☆馬や牛などのつめのことだと教えてあげましょう。

えを みて、ひらがなを かきましょう。(なぞりましょう。)
こえに だして ことばを よみましょう。

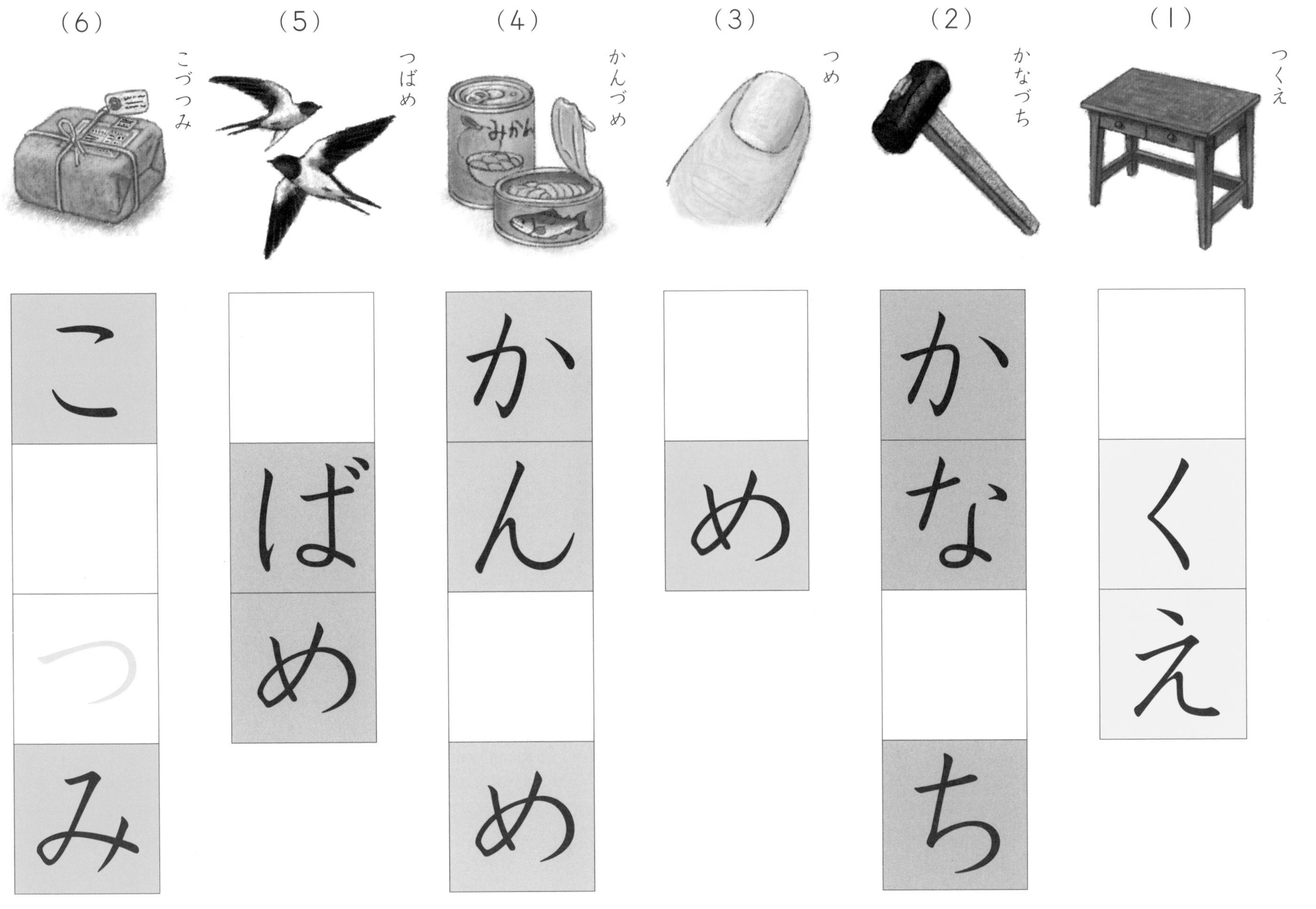

3 「く」と「ぐ」の れんしゅう

がつ
にち
なまえ

おうちのかたへ
ひらがなを書きながら(なぞりながら)、ことばを声に出して読みましょう。書いてから、ことば全体を読んだり、一枚がおわったところで、おうちのかたのあとに続けてリズムよく読んだりしてもよいでしょう。読む力が書く力の土台になりますので、声に出して読むことを習慣にしていきましょう。

ことばを よみましょう。ひらがなを かきましょう。(なぞりましょう。)

く

くま

☆「〱」のような鏡文字にならないように気をつけましょう。

くり

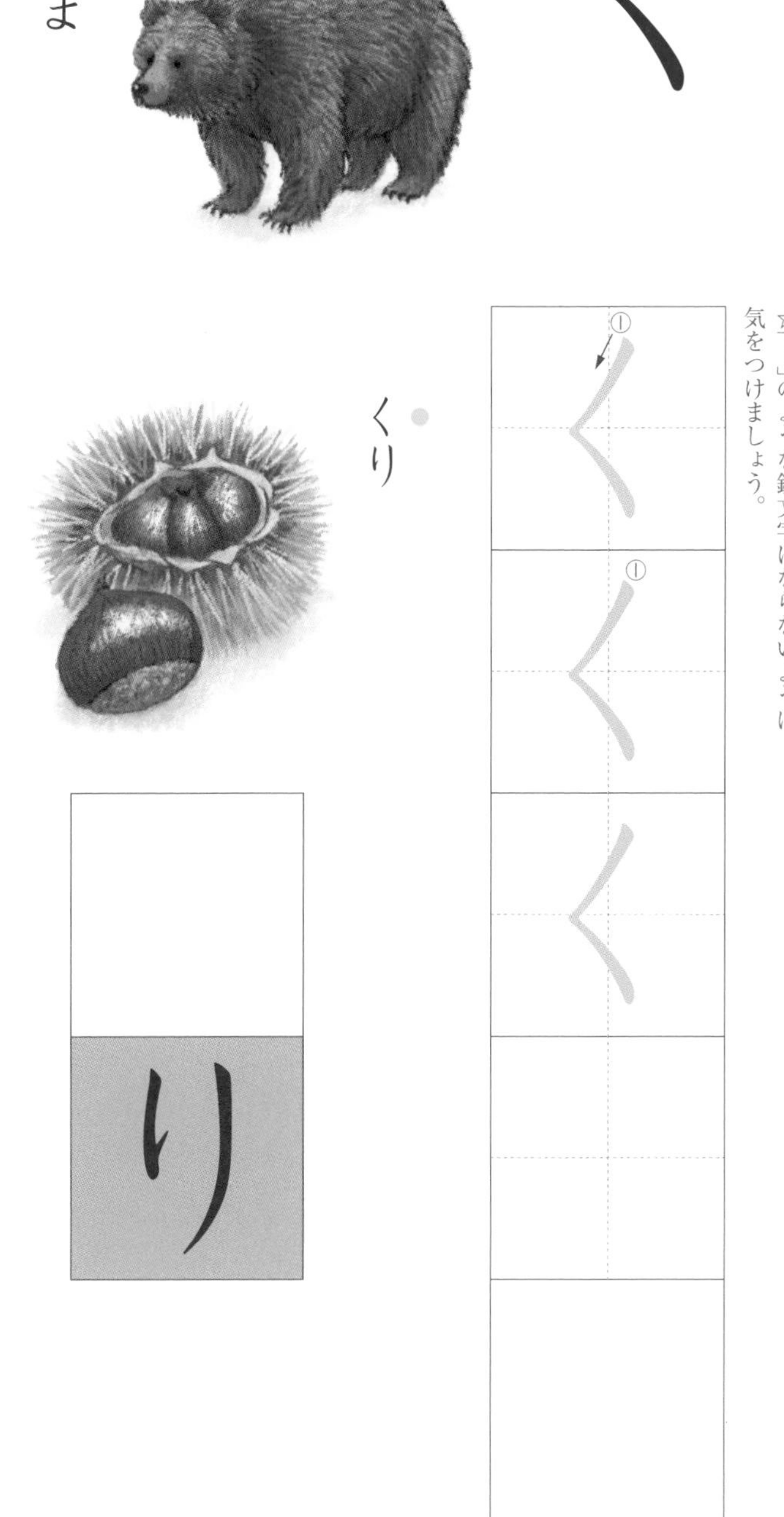

ぐ

かざぐるま

☆『ぐ』は『く』にてんてんよ」などと教えてあげましょう。

えのぐ

えを みて、ひらがなを かきましょう。(なぞりましょう。)
こえに だして ことばを よみましょう。

(1) くつ

つ

(2) くも

も

(3) どんぐり

ど
ん
り

(4) くるみ

る
み

(5) くち

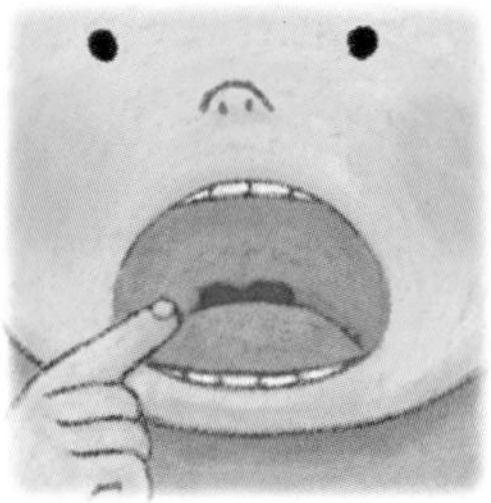

ち

(6) えのぐ

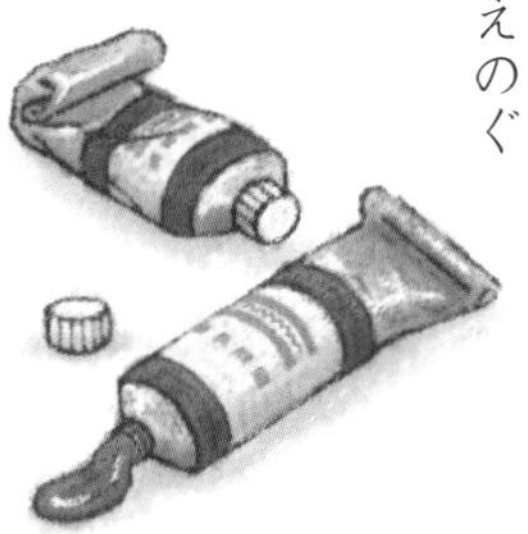

え
の

4

「し・じ・つ・づ・く・ぐ」の まとめ

がつ　にち　なまえ

おうちのかたへ
ここまでのひらがなのまとめです。練習のページに出てきたことばは、絵の横にひらがなを入れていません。（新しいことばや、お子さまがとまどうことの多いことばには、手がかりとしてまとめのページでも入れています。）絵を見てことばを思い出しながら書きましょう。

えを みて、ひらがなを かきましょう。（なぞりましょう。）
こえに だして ことばを よみましょう。

（1）□まうま

（2）つくし　□くし

（3）こづつみ　こ□つみ

（4）えのぐ　えの□

（5）にじ　に□

（6）くつした　□つした

えを みて、ひらがなを かきましょう。(なぞりましょう。)
こえに だして ことばを よみましょう。

(1) どん□り

(2) □か

(3) □みき

(4) かな□ち

かなづち

(5) ひつ□

(6) □ち

5 「へ」と「べ」と「ぺ」の れんしゅう

がつ
にち
なまえ

おうちのかたへ
「ペンギン」や「ペンキ」は外来語のため、本来はカタカナで書きますが、ここではひらがなの練習のため、ひらがなで書きます。お子さまがカタカナを覚えていく際に、カタカナで書くことばもしだいに覚えていければよいでしょう。

ことばを よみましょう。ひらがなを かきましょう。（なぞりましょう。）

へ

へび

へそ

べ

べんとう

☆「『べ』は『へ』にてんてんよ」などと教えてあげましょう。

ぺ

ぺんぎん（ペンギン）

☆「『ぺ』は『へ』にまるよ」などと教えてあげましょう。

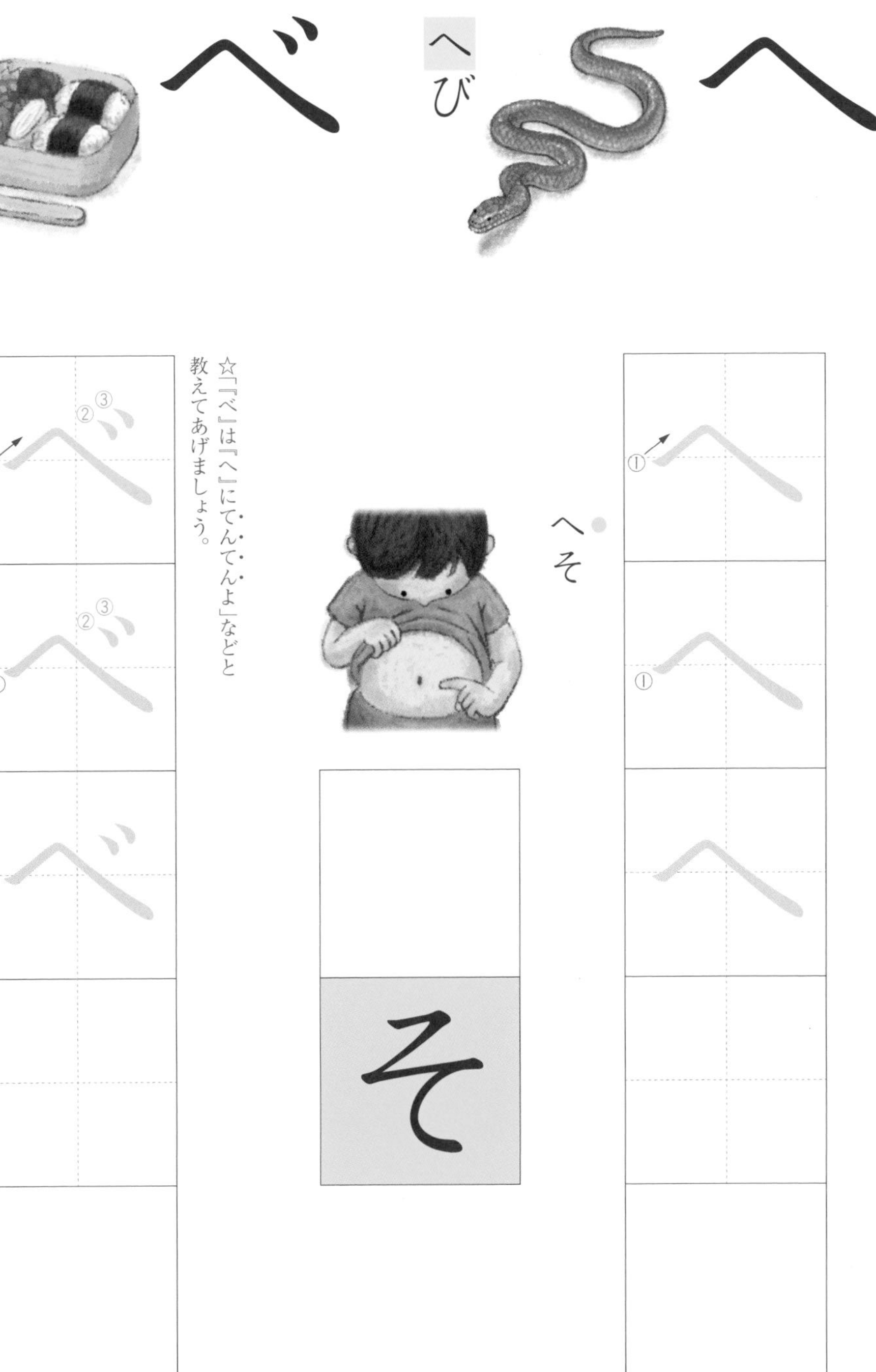

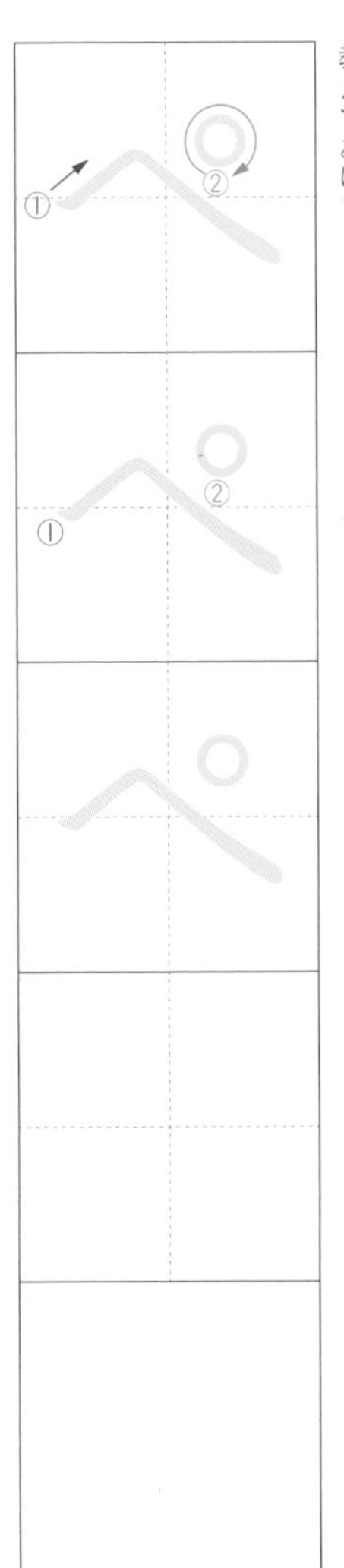

えを みて、ひらがなを かきましょう。
こえに だして ことばを よみましょう。

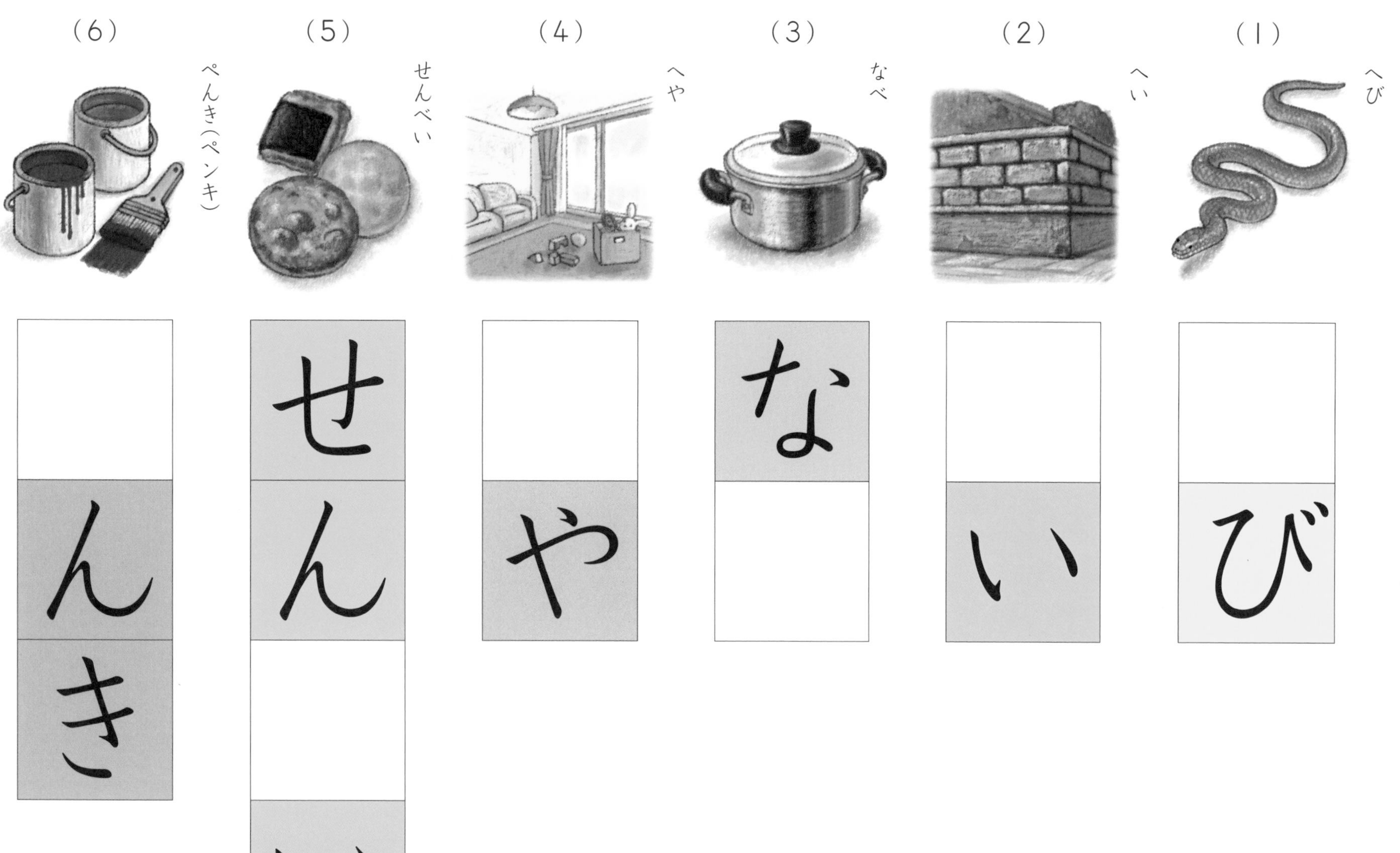

6 「の」の れんしゅう

がつ
にち
なまえ

おうちのかたへ
本書では、小学校の教科書と同じ、「はらい」の部分が先に向かって細くなる書体を使っていますが、最初のうちは、うまくはらえなくてもかまいません。それぞれのひらがなの形を覚えること、楽しんで書くことをまずは心がけましょう。

✎ことばを よみましょう。ひらがなを かきましょう。（なぞりましょう。）

の

のり

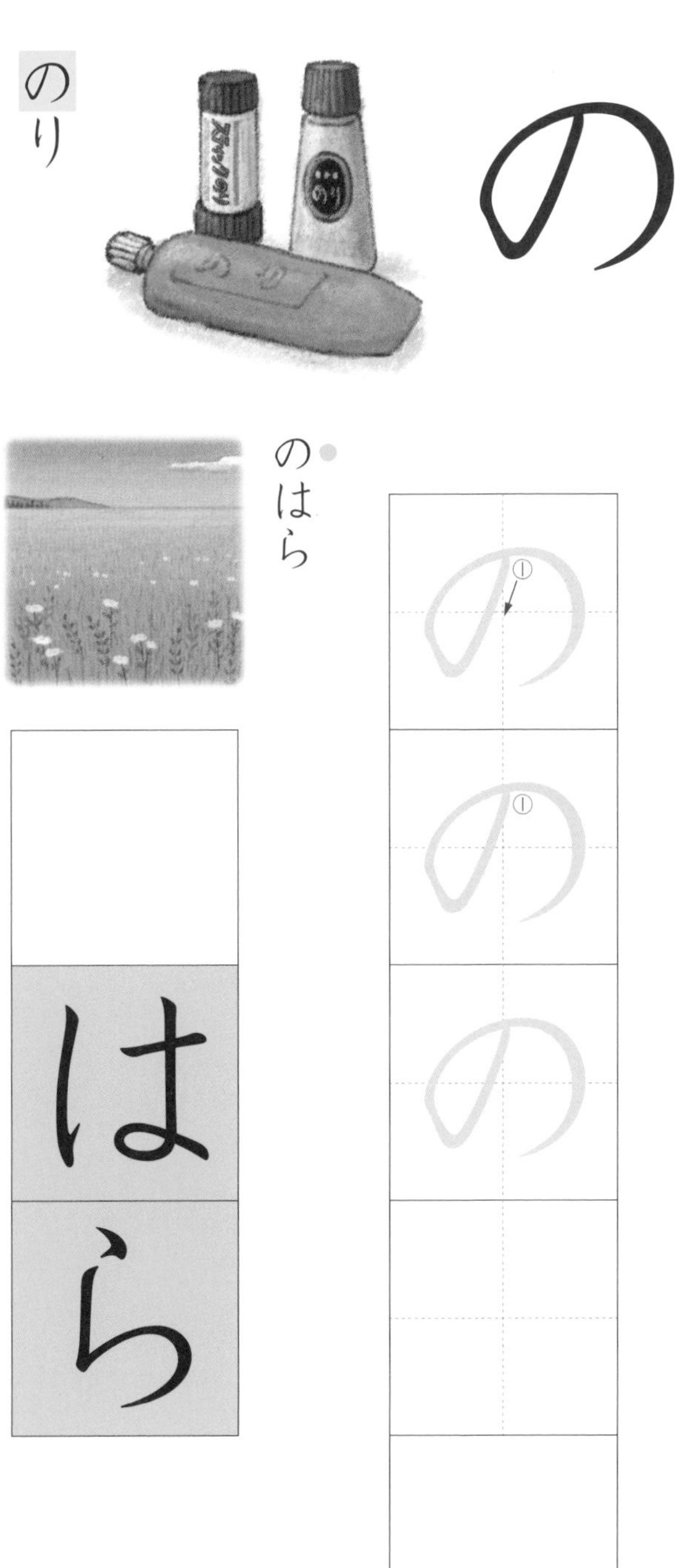

のはら

のこぎり

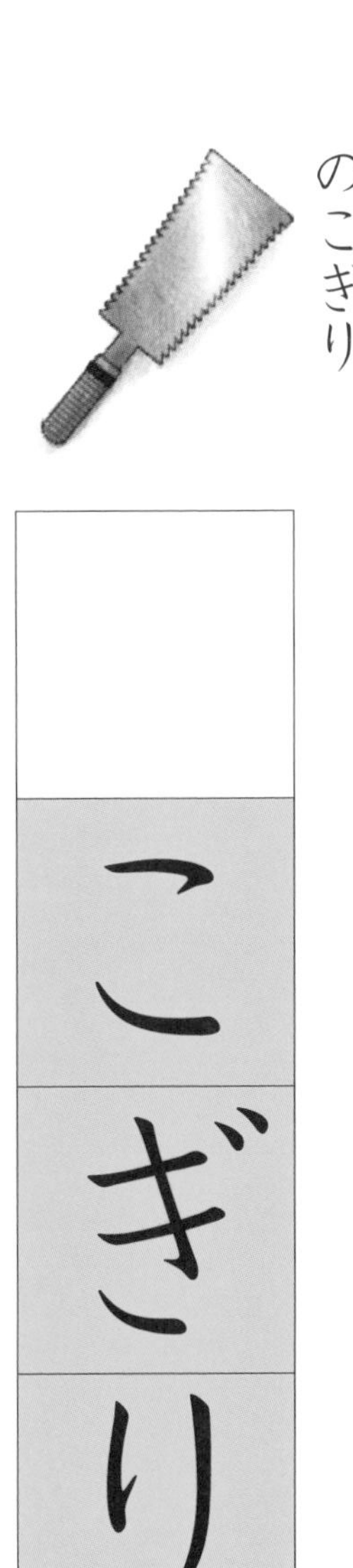

きもの

つの

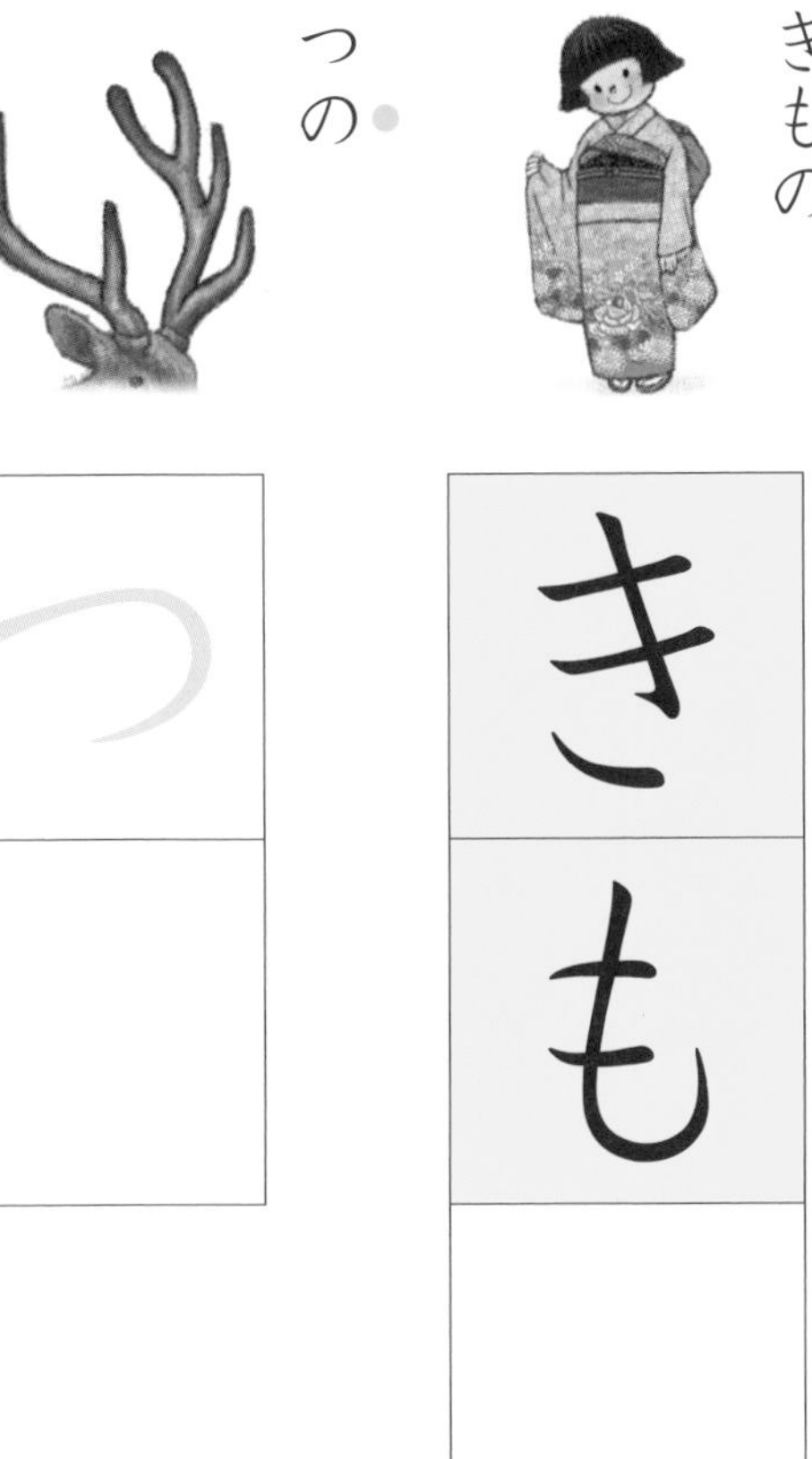

えを みて、ひらがなを かきましょう。（なぞりましょう。）
こえに だして ことばを よみましょう。

7 「て」と「で」の れんしゅう

おうちのかたへ

なぞり書きのマスの横に、書くときに注意するポイントなどを入れていますので、お子さまにアドバイスする際の参考にしてください。まちがって書いていても、「早く直しなさい」などとしかったりせず、「形がちがうみたいだね」と声をかけて、自分で気づけるようにうながしてあげましょう。

がつ　にち　なまえ

ことばを よみましょう。ひらがなを かきましょう。（なぞりましょう。）

て

てんとうむし

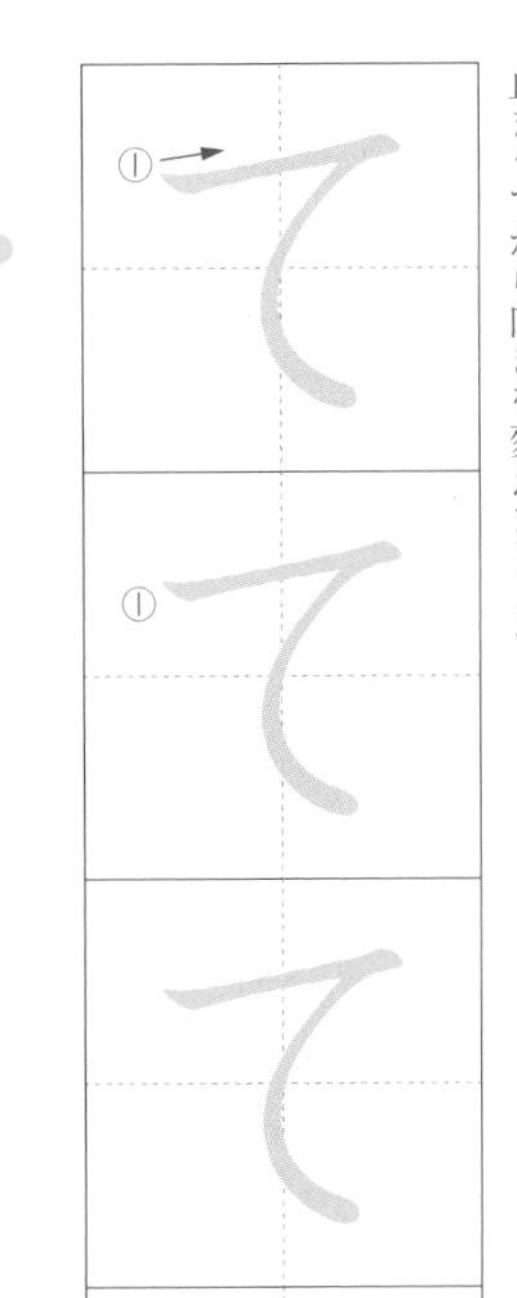

☆折り返すところは、いったん止まってから向きを変えましょう。

てがみ

で

でんわ

☆『で』は『て』にてんてん よ」などと教えてあげましょう。

でんち

えを みて、ひらがなを かきましょう。（なぞりましょう。）
こえに だして ことばを よみましょう。

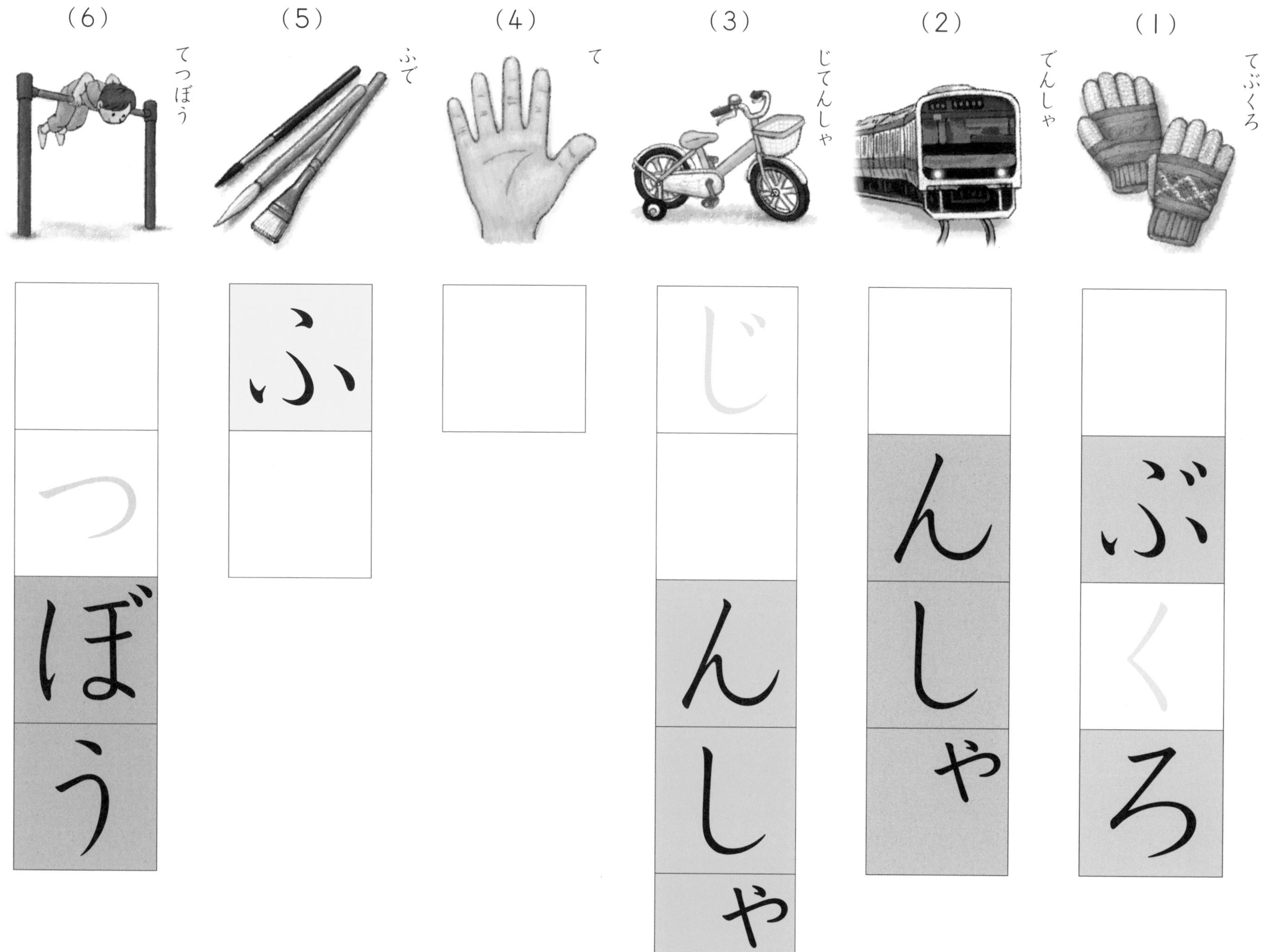

8 「へ・べ・ぺ・の・て・で」の まとめ

がつ　にち　なまえ

おうちのかたへ
「へ」から「で」までのまとめです。本書全体を通じ、同じことばを何度も絵を見ながら書くことで、お子さまのことばの世界を広げながら、ひらがなの読み書きを身につけていきます。知らないことばがあってお子さまがとまどっているようでしたら、おうちのかたが教えてあげたり、いっしょに絵辞典や図鑑をひらいて、調べたりしてみましょう。

えを みて、ひらがなを かきましょう。
こえに だして ことばを よみましょう。

(1) □んとう

(2) □り

(3) □がみ

(4) □んぎん
ぺんぎん（ペンギン）

(5) □んわ

(6) □そ

えを　みて、ひらがなを　かきましょう。（なぞりましょう。）
こえに　だして　ことばを　よみましょう。

ぺんき（ペンキ）

（１）　□んき

（２）　□んしゃ

（３）　きも□

（４）　な□

（５）　□や

（６）　□つぼう

9 「ひ」と「び」と「ぴ」の れんしゅう

がつ　にち　なまえ

おうちのかたへ
ひらがなを1文字ずつ覚えるのは、幼児にとって難しいことですが、「ひよこの『ひ』」「かびんの『び』」と覚えることで、学習がらくになります。また、ことばのなかでひらがなを練習することで、1文字ずつくり返し書くよりも、楽しく学習を続けることができます。書いたら、ことば全体を声に出して読みましょう。

ことばを よみましょう。ひらがなを かきましょう。（なぞりましょう。）

ひ

ひよこ

☆「ひ」のような鏡文字にならないように気をつけましょう。

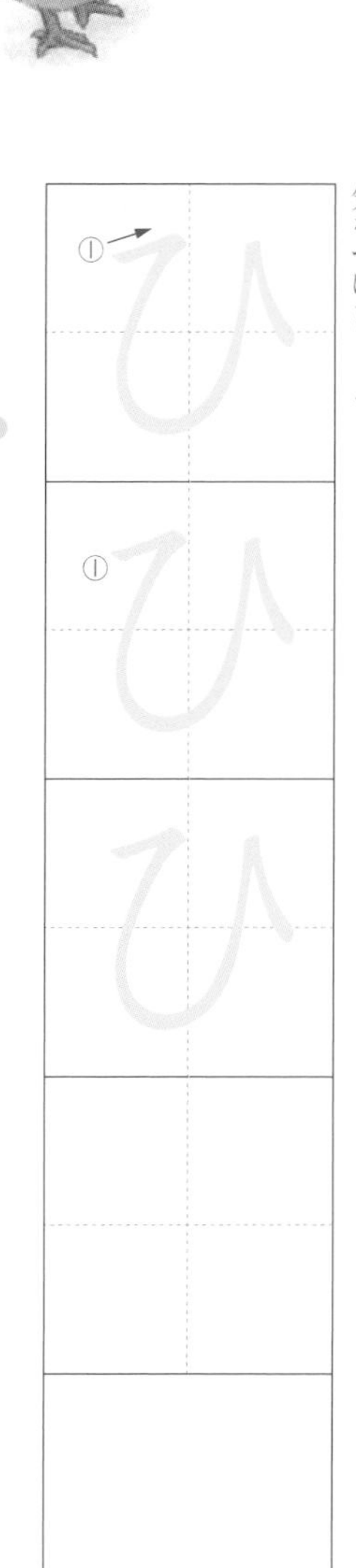

ひつじ

び

かびん

☆「『び』は『ひ』にてんてんよ」などと教えてあげましょう。

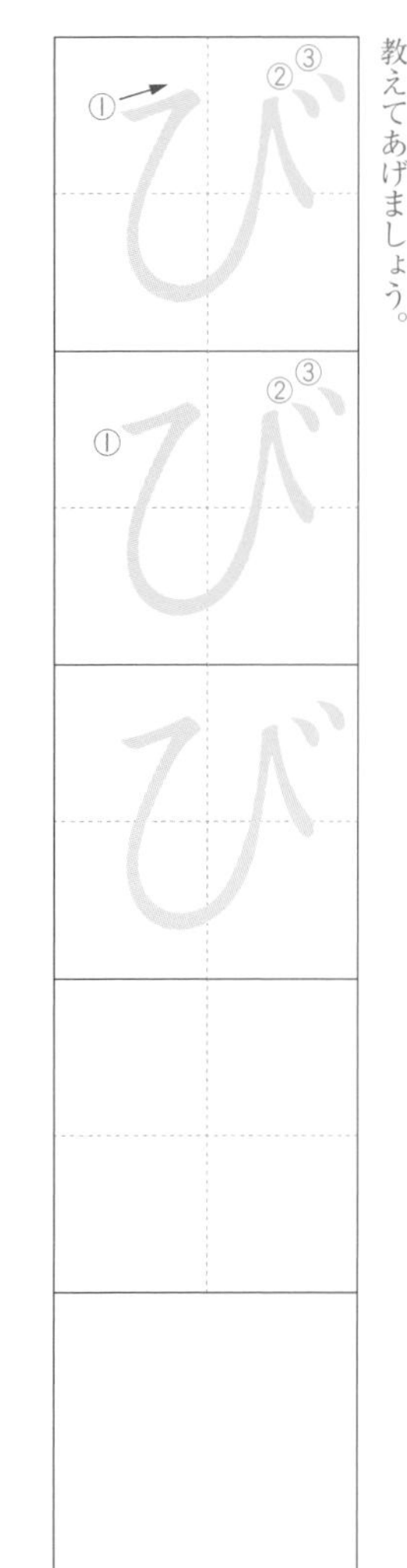

ぴ

えんぴつ

☆「『ぴ』は『ひ』にまるよ」などと教えてあげましょう。

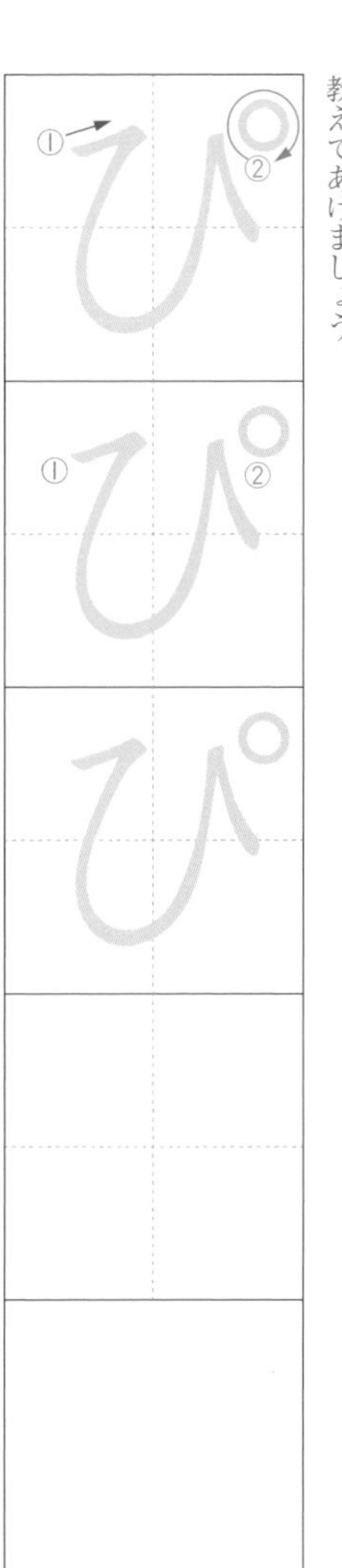

えを　みて、ひらがなを　かきましょう。（なぞりましょう。）
こえに　だして　ことばを　よみましょう。

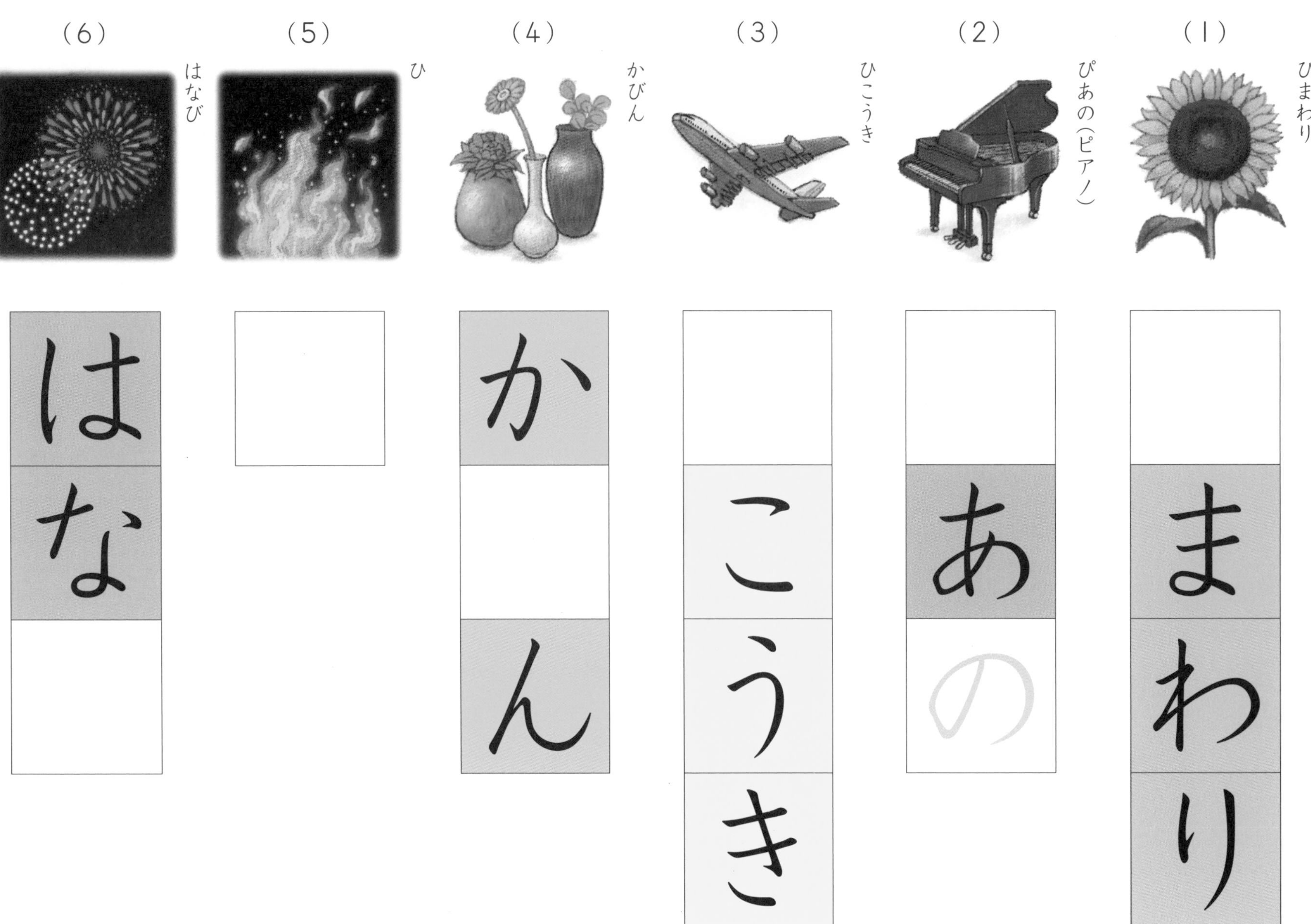

10 「ろ」と「る」の れんしゅう

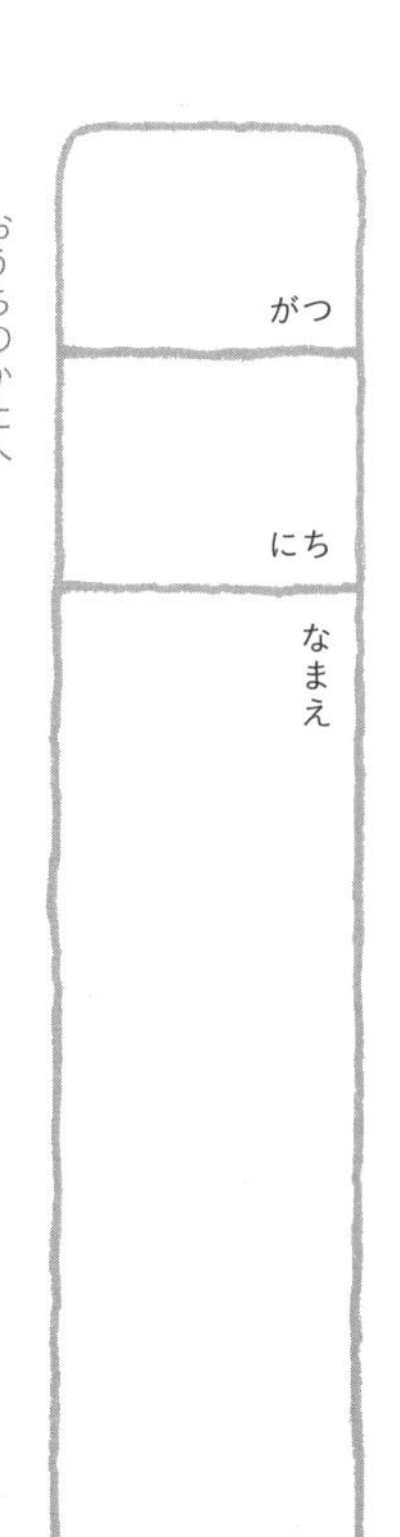

おうちのかたへ

「ろ」と「る」は形も音もよく似ています。「る」の先をしっかりとまるめられるようになるとよいでしょう。一枚おわるごとに、「ていねいになぞれたね」「じょうずに読んでいたね」など、お子さまのよいところを見つけて、たくさんほめてあげてください。

ことばを よみましょう。ひらがなを かきましょう。（なぞりましょう。）

ろ

ろうそく

☆折り返すところに気をつけましょう。

ろば

る

いるか

☆最後をしっかりまるめて、くっつけましょう。

つる

えを みて、ひらがなを かきましょう。
こえに だして ことばを よみましょう。

（1） せんろ 
せん

（2） かるた 
か た

（3） ろうか 
うか

（4） かえる 
かえ

（5） さる 
さ

（6） ふろ 
ふ

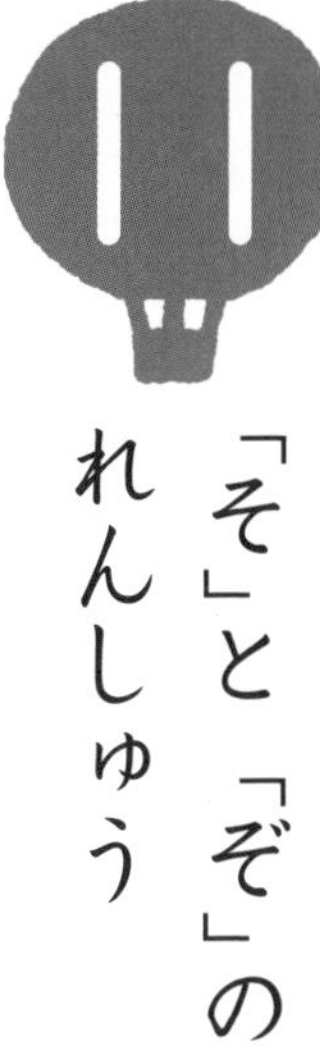

「そ」と「ぞ」のれんしゅう

がつ　にち　なまえ

おうちのかたへ

ことばのなかにすでに学習した文字が出てくるときは、なぞり書きするようになっています。白いマス以外も忘れないでなぞれるよう、声をかけてあげてください。本書全体を通じ、だんだんと自分でひらがなをなぞったり、書いたりするところがふえてきますが、お子さまの書く力もしだいにのびていくことで、1枚を書ききることができるでしょう。

ことばを　よみましょう。ひらがなを　かきましょう。（なぞりましょう。）

そ

そら

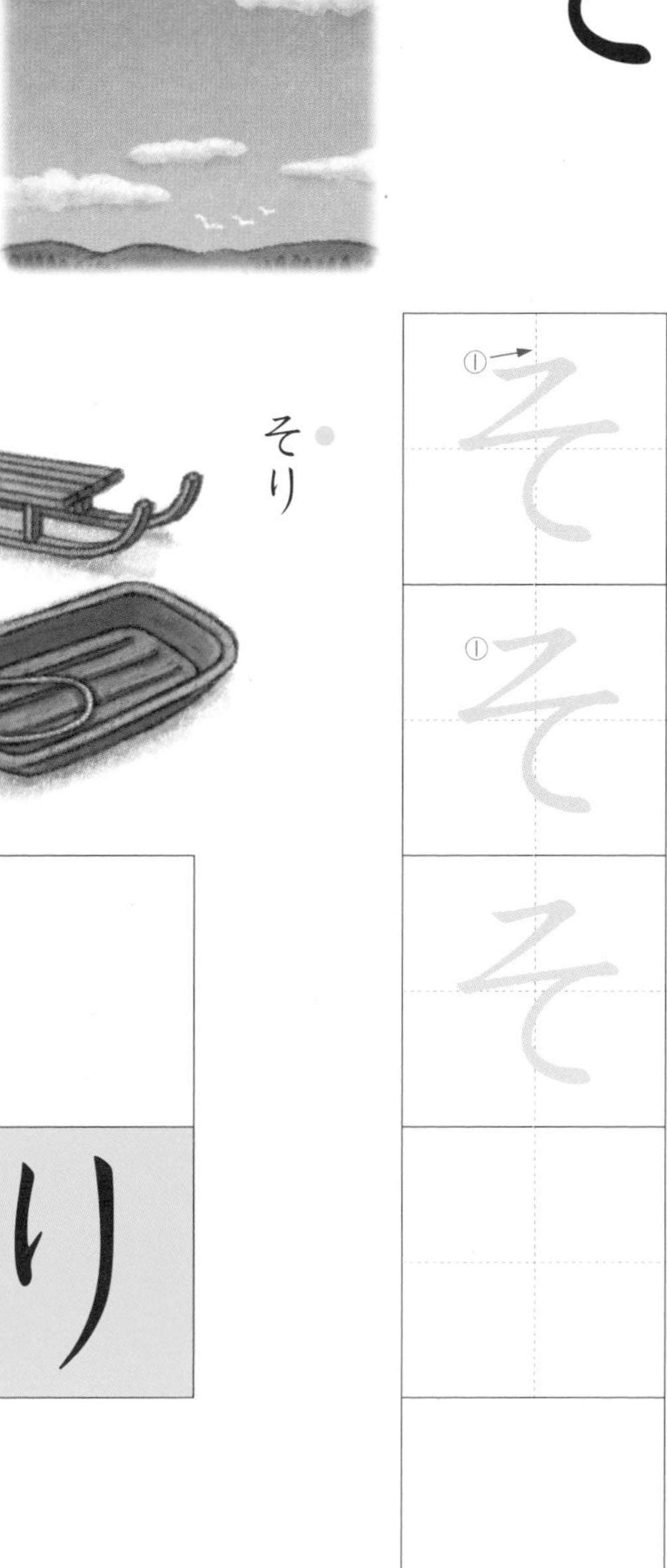

そり

☆一筆で書きます。折り返すところが多いので、気をつけて練習しましょう。

ぞ

ぞう

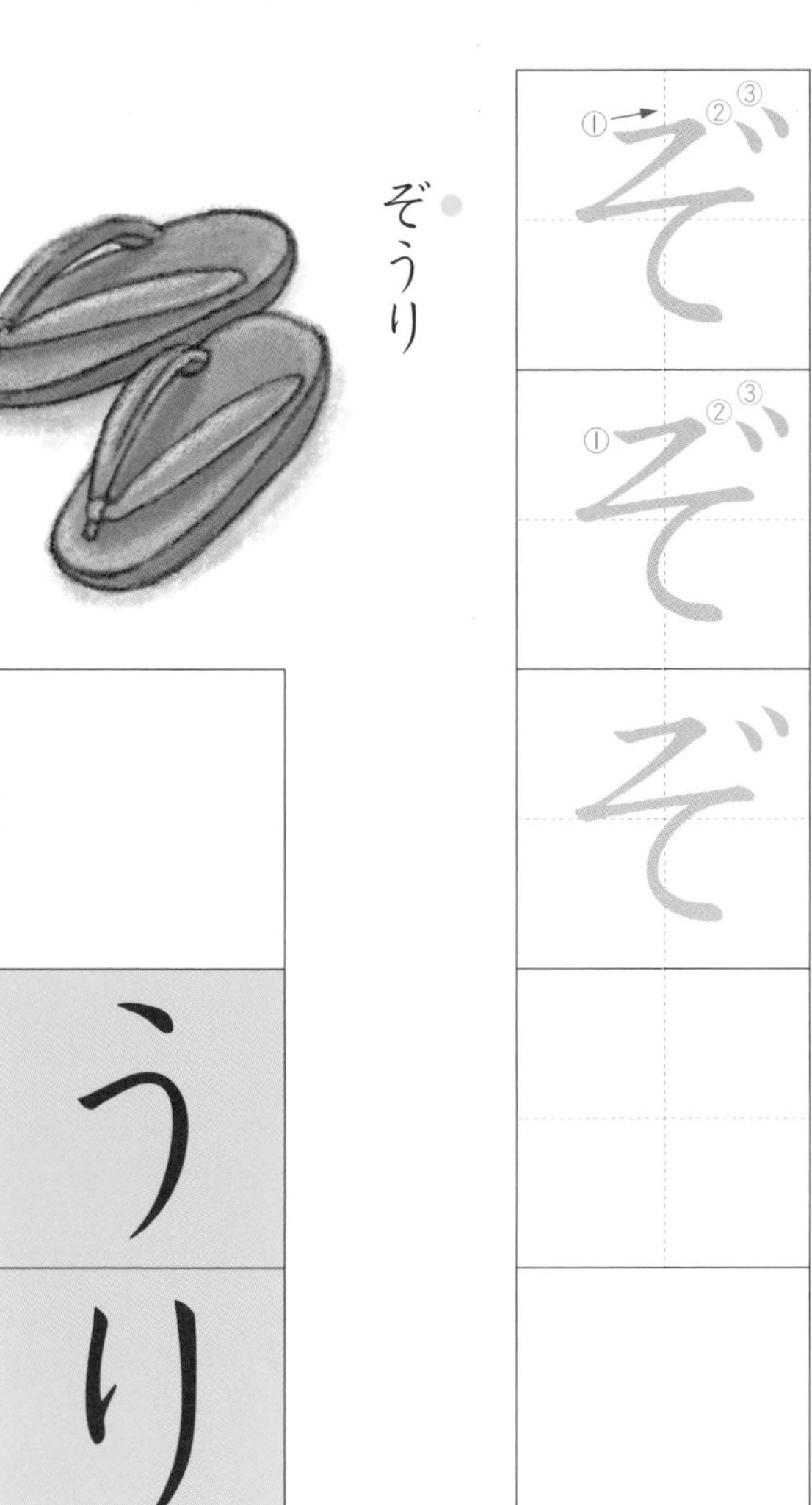

ぞうり

☆「『ぞ』は『そ』にてんてんよ」などと教えてあげましょう。

えを みて、ひらがなを かきましょう。（なぞりましょう。）
こえに だして ことばを よみましょう。

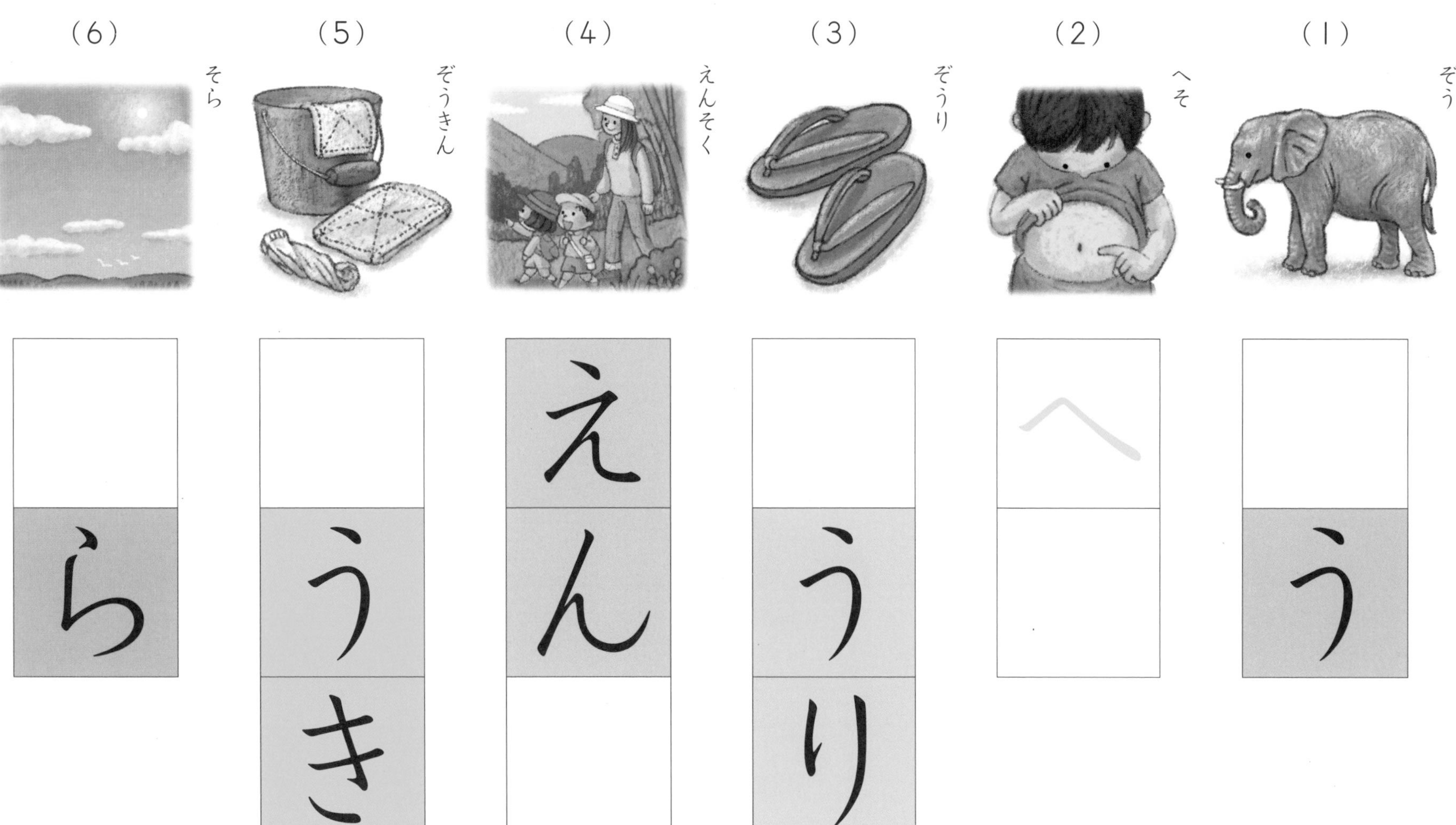

12 「ひ・び・ぴ・ろ・る・そ・ぞ」の まとめ

がつ

にち

なまえ

おうちのかたへ

じょうずに書くには、座る姿勢や紙をおさえる手も大切です。ドリルの紙に対して、まっすぐに座り、鉛筆をもっていないほうの手で紙をおさえるように、みちびいてあげましょう。また、書くことに集中しているうちに、鉛筆のもち方がまちがってしまうことがあります。表紙のうらにある写真を参考に、もち直させてあげるとよいでしょう。

えを みて、ひらがなを かきましょう。（なぞりましょう。）
こえに だして ことばを よみましょう。

（1） □まわり

（2） □うそく

（3） い□か

（4） □うきん

ぞうきん

（5） はな□

（6） □り

えを　みて、ひらがなを　かきましょう。（なぞりましょう。）
こえに　だして　ことばを　よみましょう。

（1）
えん□つ

（2）
えんそく
えん□く

（3）
□う

（4）
ろうか
□うか

（5）
かえ□

（6）
□こうき

13 「い」と「り」の れんしゅう

がつ　にち　なまえ

おうちのかたへ
はねるところをじょうずに書くのは、お子さまにとって難しいことです。「いったん止まってから、次に書くところに向かってはねてみようね」と声をかけてください。最初ははねを忘れてしまったり、うまく書けなかったりしても、じょじょにできるようになればよいでしょう。

ことばを よみましょう。ひらがなを かきましょう。（なぞりましょう。）

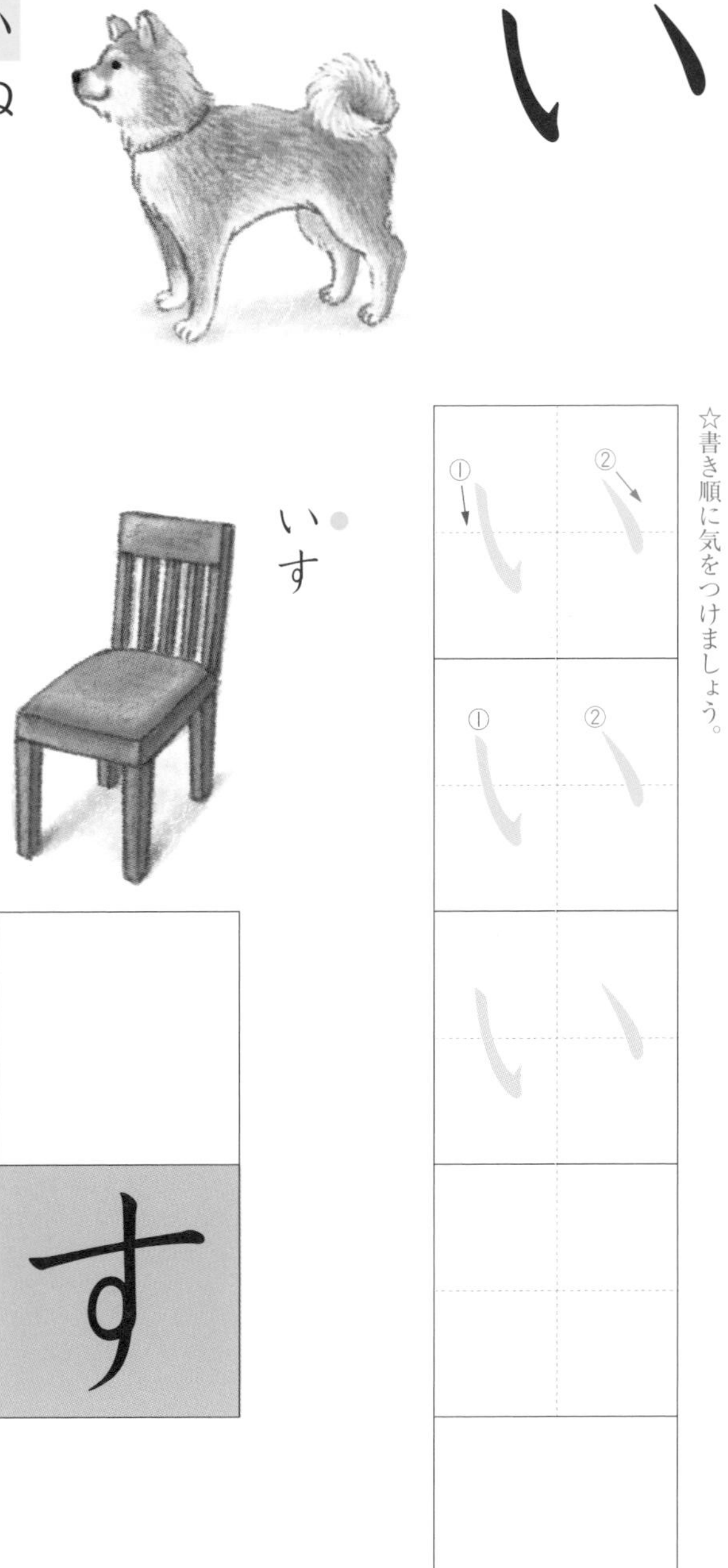

い

いぬ

☆書き順に気をつけましょう。

いす

り

りんご

☆「い」と形が似ています。2画目をしっかり長く書きましょう。

りす

えを　みて、ひらがなを　かきましょう。（なぞりましょう。）
こえに　だして　ことばを　よみましょう。

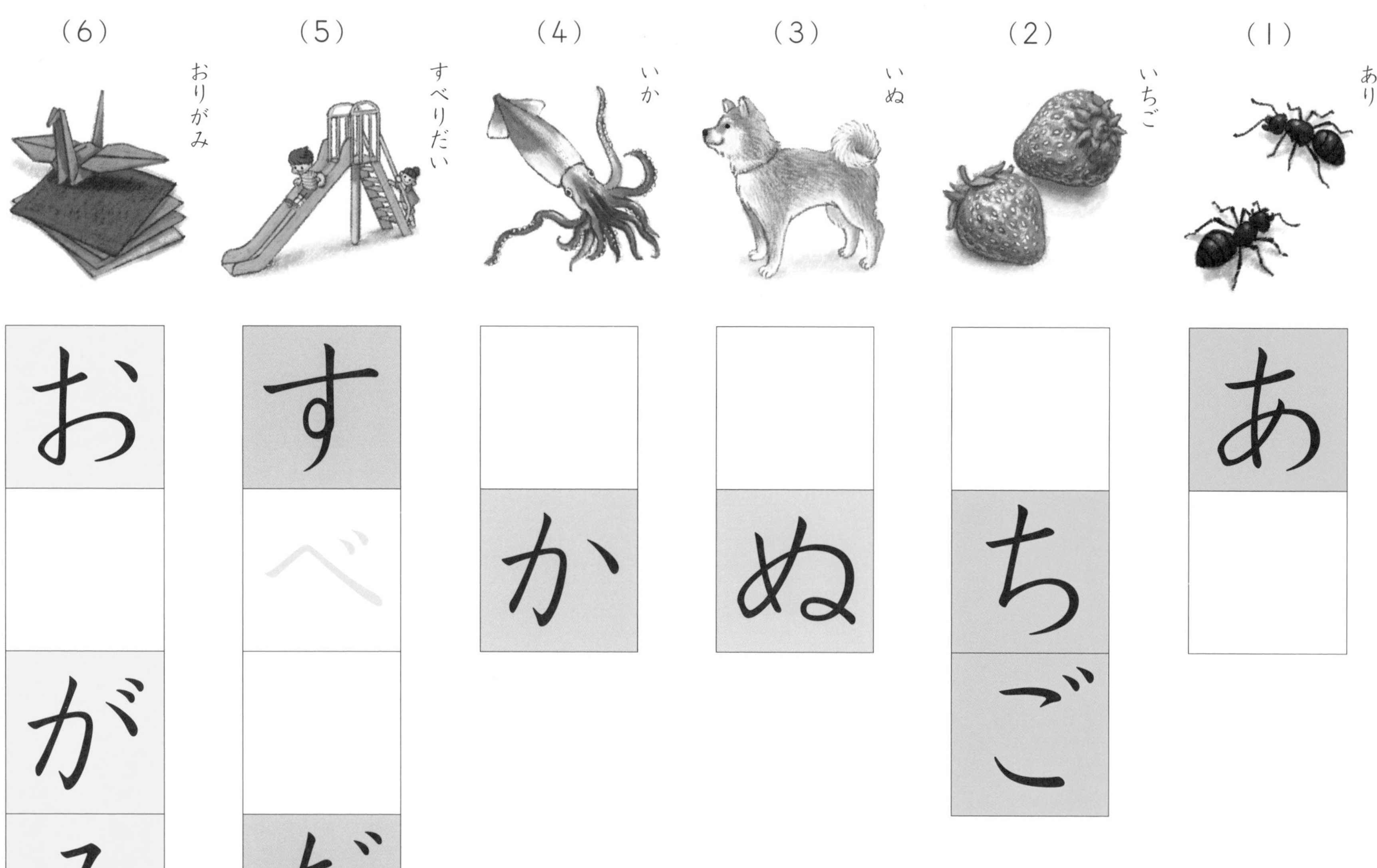

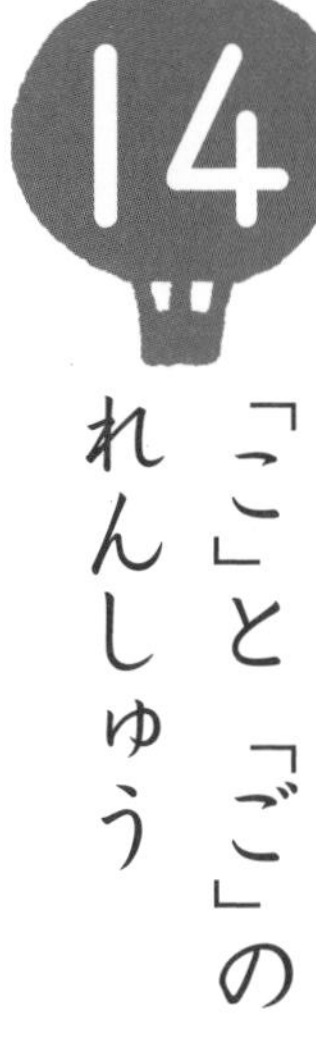

「こ」と「ご」の れんしゅう

がつ
にち
なまえ

おうちのかたへ
濁音や半濁音は、一文字ずつ覚えさせるよりも、ことばをくり返し読むなかで、無理なく覚えていくことが早道です。「ごぼう」「ごま」と、文字を指さしながら声に出して読んでみましょう。

ことばを よみましょう。ひらがなを かきましょう。（なぞりましょう。）

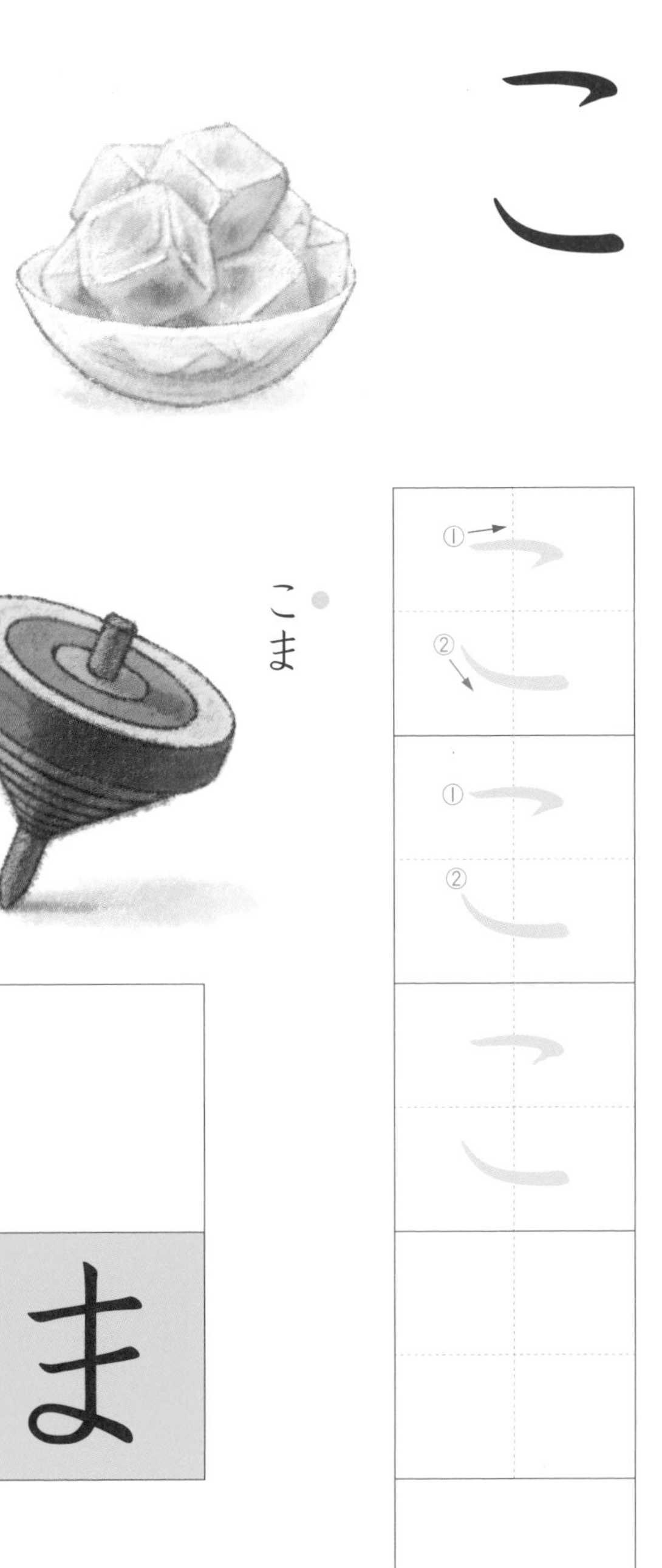

☆『ご』は『こ』に「でんでんよ」などと教えてあげましょう。

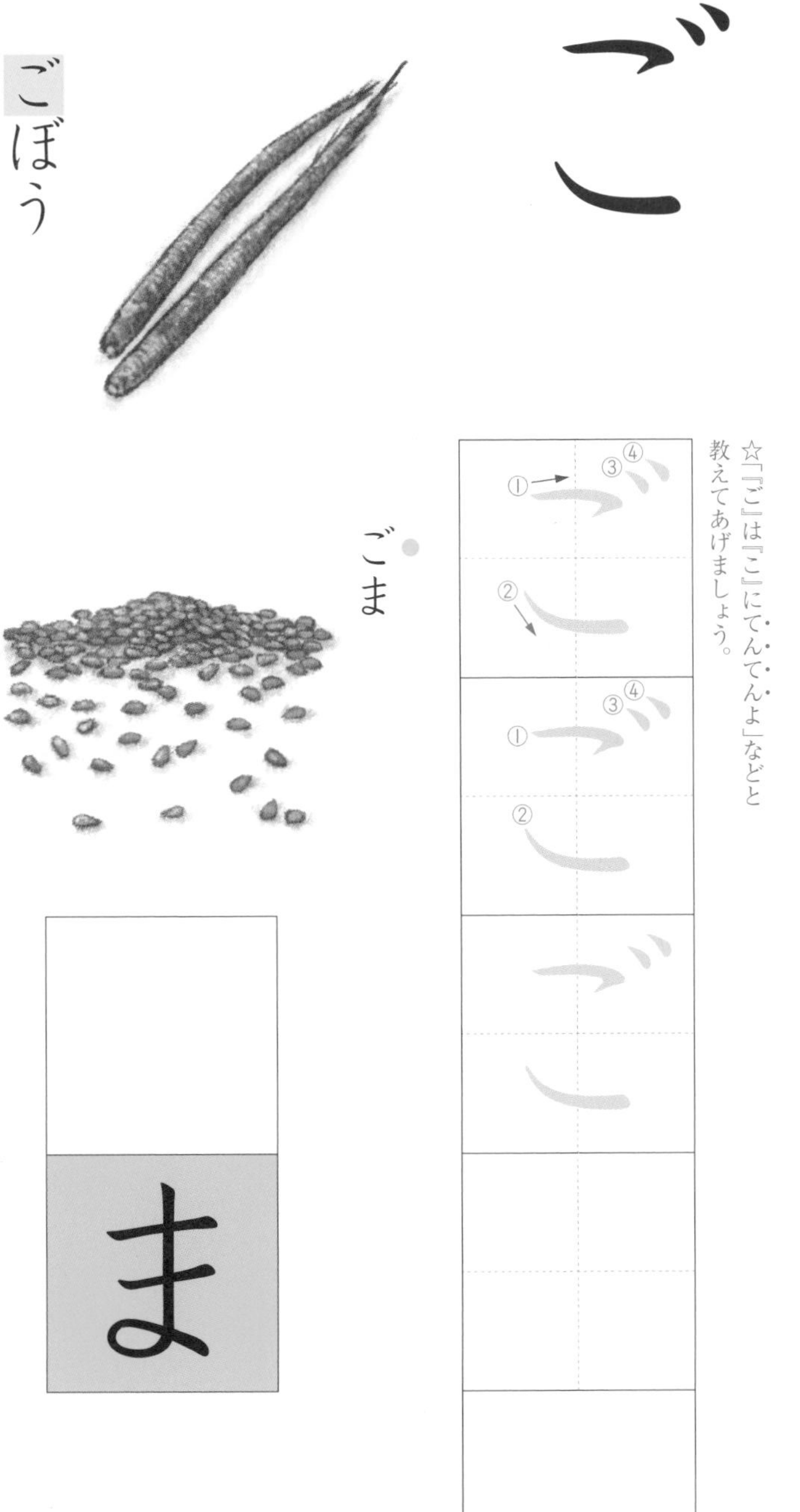

えを　みて、ひらがなを　かきましょう。（なぞりましょう。）
こえに　だして　ことばを　よみましょう。

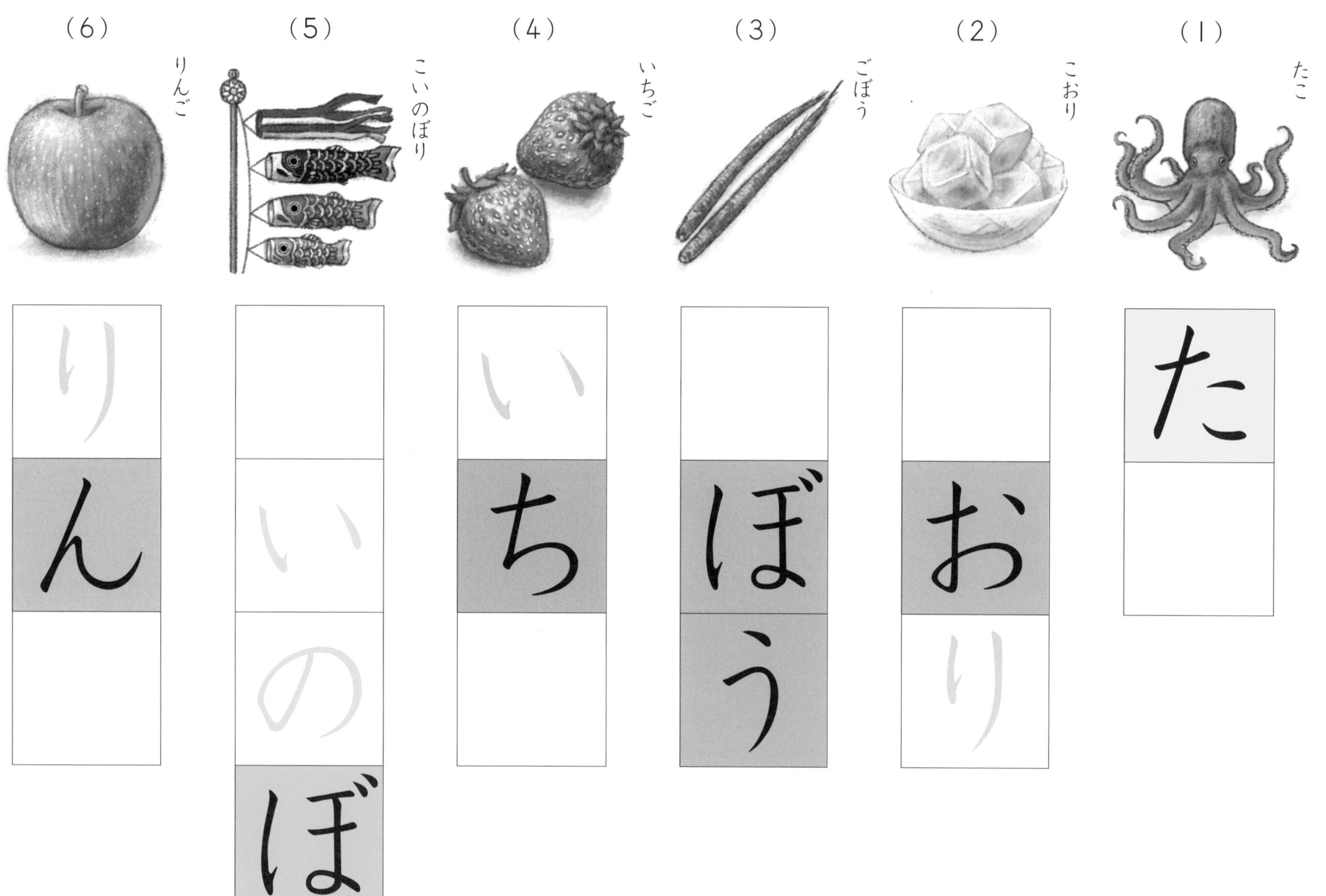

がつ

にち

なまえ

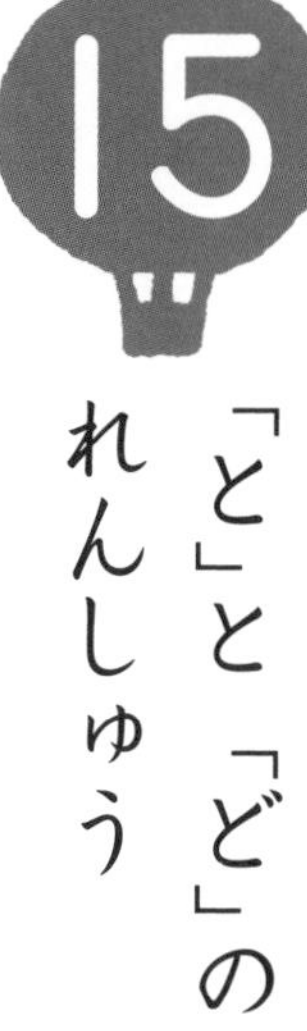

15 「と」と「ど」の れんしゅう

おうちのかたへ

おうちのかたが赤ペンで丸や花丸を書いてあげるのも、お子さまのやる気を引き出すよい方法です。細かいところを赤で直すのではなく、うまく書けたところや、自分でがんばって直したところに花丸をつけるようにしてあげましょう。まちがえたところは、おうちのかたが余白に□を書いて、もう一度練習させてあげるのもよいでしょう。

ことばを よみましょう。ひらがなを かきましょう。（なぞりましょう。）

と

とけい

とら

ど

☆「『ど』は『と』にてんてんよ」などと教えてあげましょう。

どうぶつえん

まど

✎えを みて、ひらがなを かきましょう。
こえに だして ことばを よみましょう。

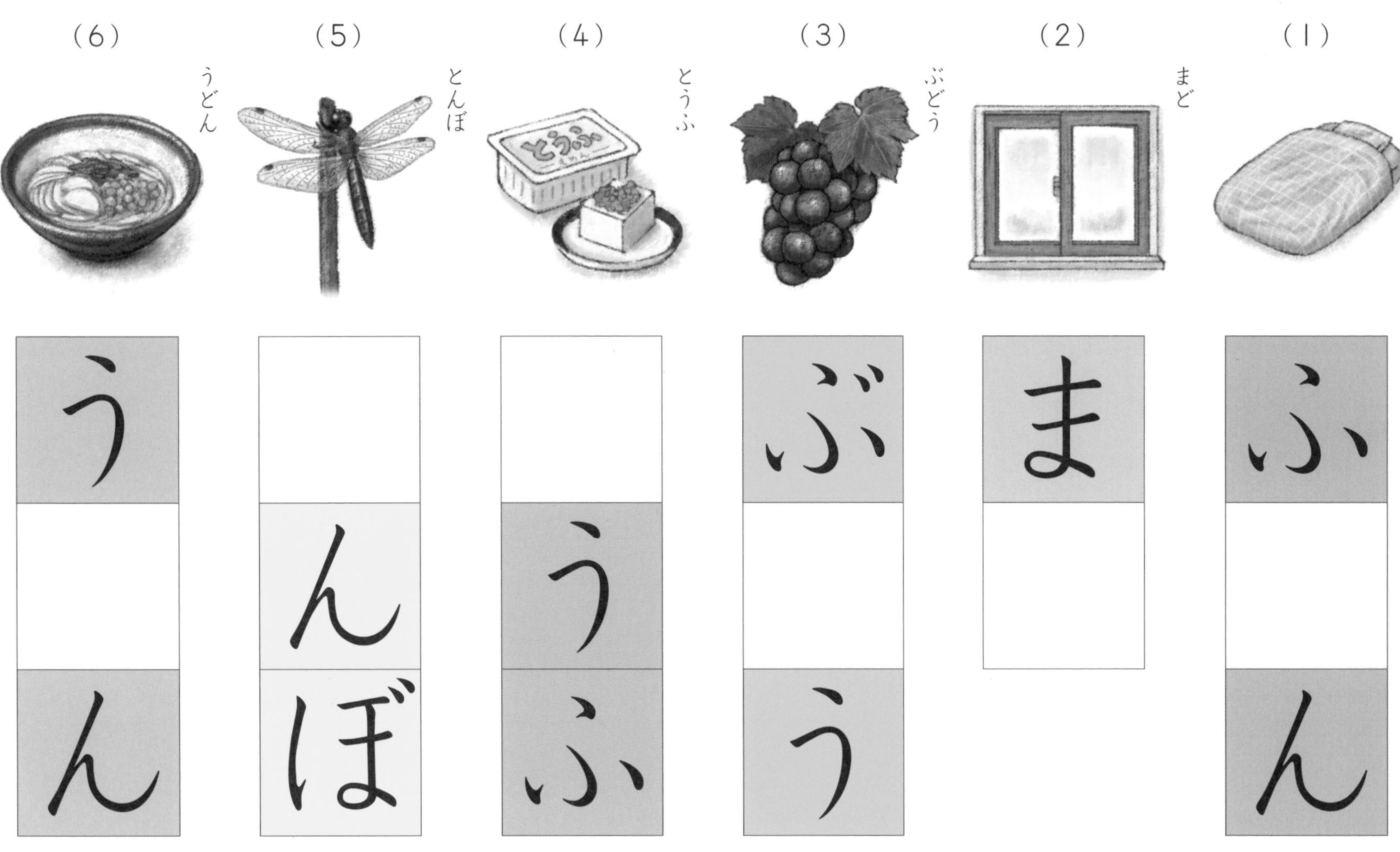

16 「い・り・こ・ご・と・ど」の まとめ

がつ　にち　なまえ

えを みて、ひらがなを かきましょう。（なぞりましょう。）
こえに だして ことばを よみましょう。

（1）お□がみ

（2）□ま

（3）こ□のぼり

（4）ぶ□う

（5）□んぼ

（6）□ぼう

おうちのかたへ
「い」から「ど」までのまとめです。絵からことばを思いうかべ、「こ、い、の、ぼ、り」と一文字ずつ声に出しながらひらがなを書くことで、ひらがなの形を覚えていきます。書いたあとで、「こいのぼり」ともう一度なめらかに声に出して読むと、より定着につながるでしょう。

えを みて、ひらがなを かきましょう。（なぞりましょう。）
こえに だして ことばを よみましょう。

（1）

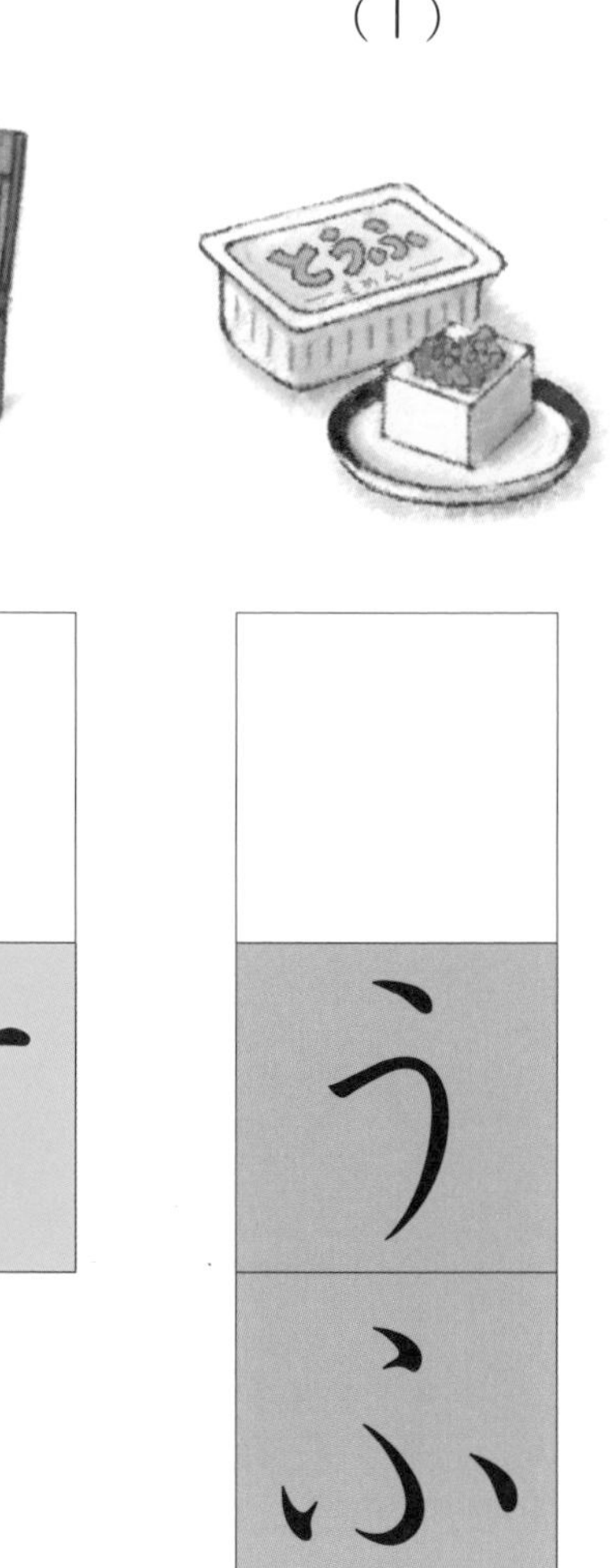

うふ

（2）

す

（3）

う
ん

（4）

す
べ
だ
い

（5）

い
ち

（6）

たいこ

た
い

17 「し」から「ど」の まとめ ❶

がつ　にち
なまえ

おうちのかたへ
ここまでの16枚(32ページ)で学習したひらがなを、2枚(4ページ)に渡って復習していきます。学習したひらがなを忘れてしまっているようでしたら、前に書いたページか、巻末の「おけいこボード」を見ながら書くようにしましょう。書きおわったら、お子さまのがんばりをおおいにほめて、認めてあげましょう。

えを みて、ひらがなを かきましょう。(なぞりましょう。)
こえに だして ことばを よみましょう。

(1) さ□

(2) □か

(3) □つ

(4) □び

(5) □んち

(6) そうじき
□うじき

(7) □んぐり

えを みて、ひらがなを かきましょう。（なぞりましょう。）
こえに だして ことばを よみましょう。

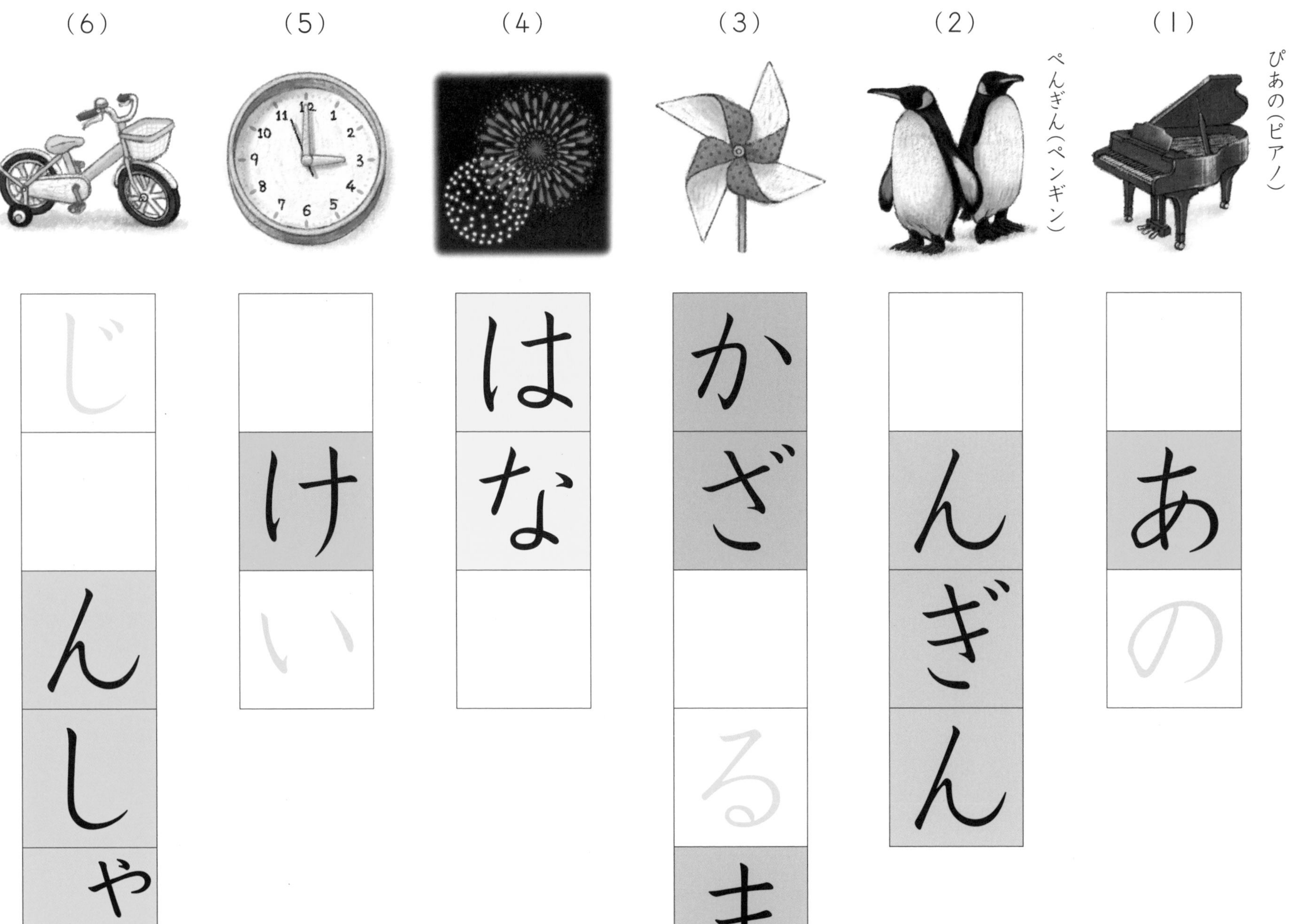

18 「し」から「ど」の まとめ ❷

がつ

にち

なまえ

おうちのかたへ
うら面は、今まで出てきたことばを使ったしりとりになっています。しりとりのやり方がわからない場合は、最初はおうちのかたが教えてあげてください。しりとり遊びは、覚えたことばを楽しく復習するのに役立ちます。

えを みて、ひらがなを かきましょう。（なぞりましょう。）
こえに だして ことばを よみましょう。

（1）

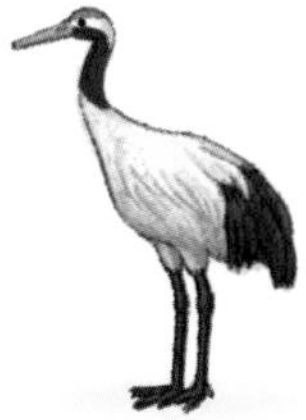

	る

（2）

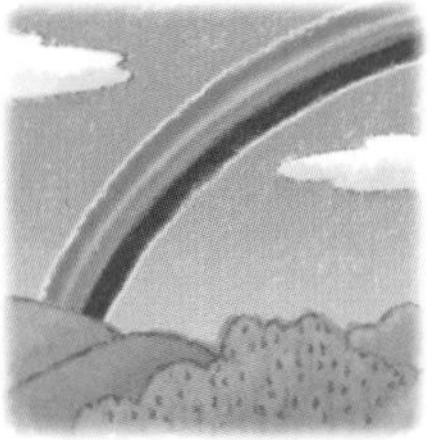

に	

（3）

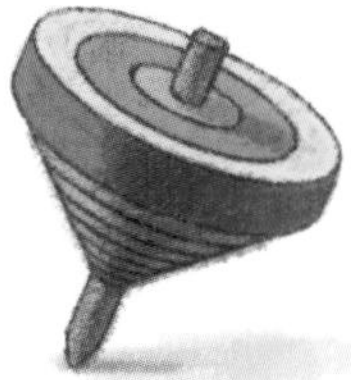

	ま

（4）

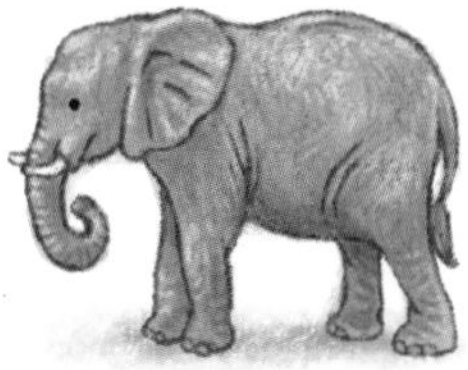

	う

（5）

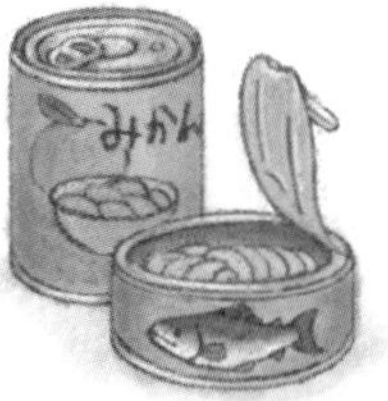

かんづめ

か	ん		め

（6）

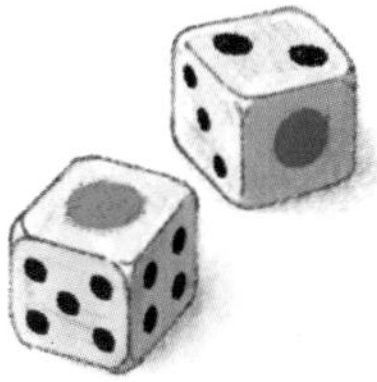

さいころ

さ	い	こ	

（7）

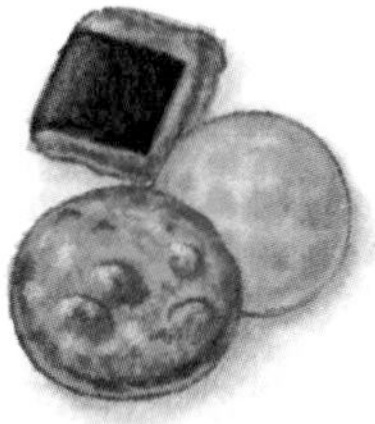

せ	ん		い

えに あう ひらがなを かいて(なぞって)、しりとりを しましょう。

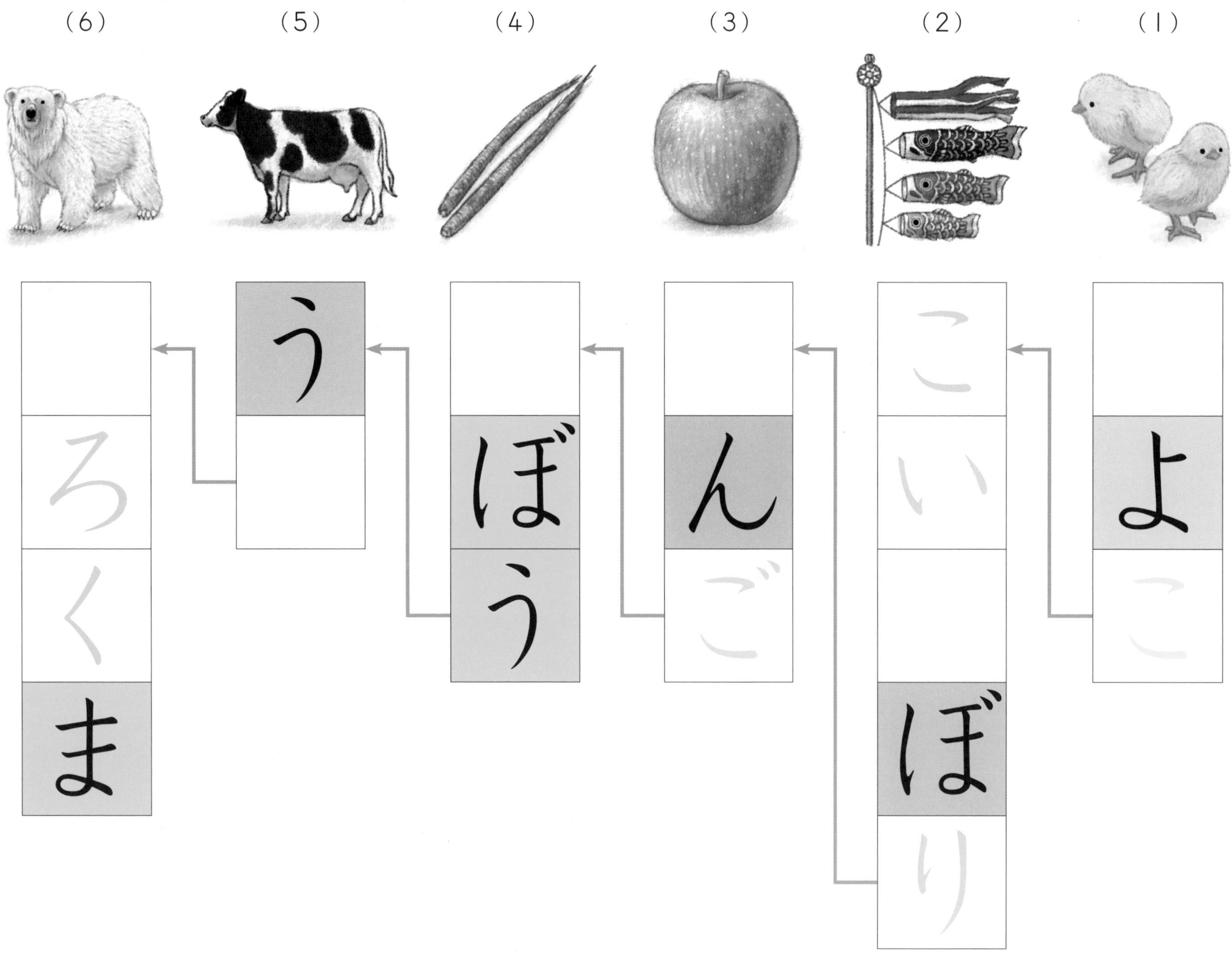

19 「う」と「ら」の れんしゅう

がつ　にち　なまえ

おうちのかたへ

ひらがなは読めているようだけれど、書くのがたいへんそう、線が弱々しいという場合は、鉛筆を動かす力(運筆力)が足りないのかもしれません。くもんの幼児ドリルシリーズの『めいろあそび』などを並行して進め、遊びながら運筆力をつけてあげるのもよいでしょう。また、鉛筆の太さや濃さはお子さまの手の力に合っているでしょうか。6Bから2Bなど、やわらかい鉛筆が、幼児には適しています。

ことばを よみましょう。ひらがなを かきましょう。(なぞりましょう。)

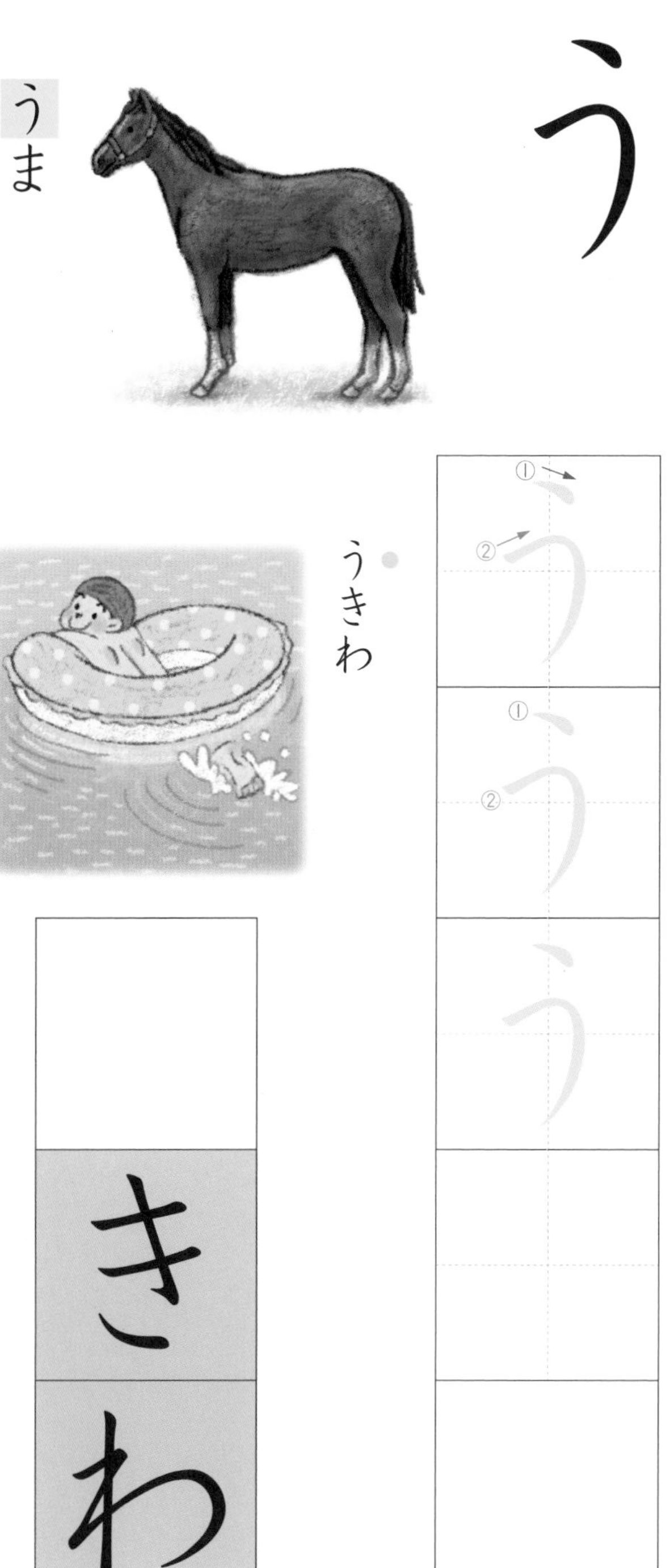

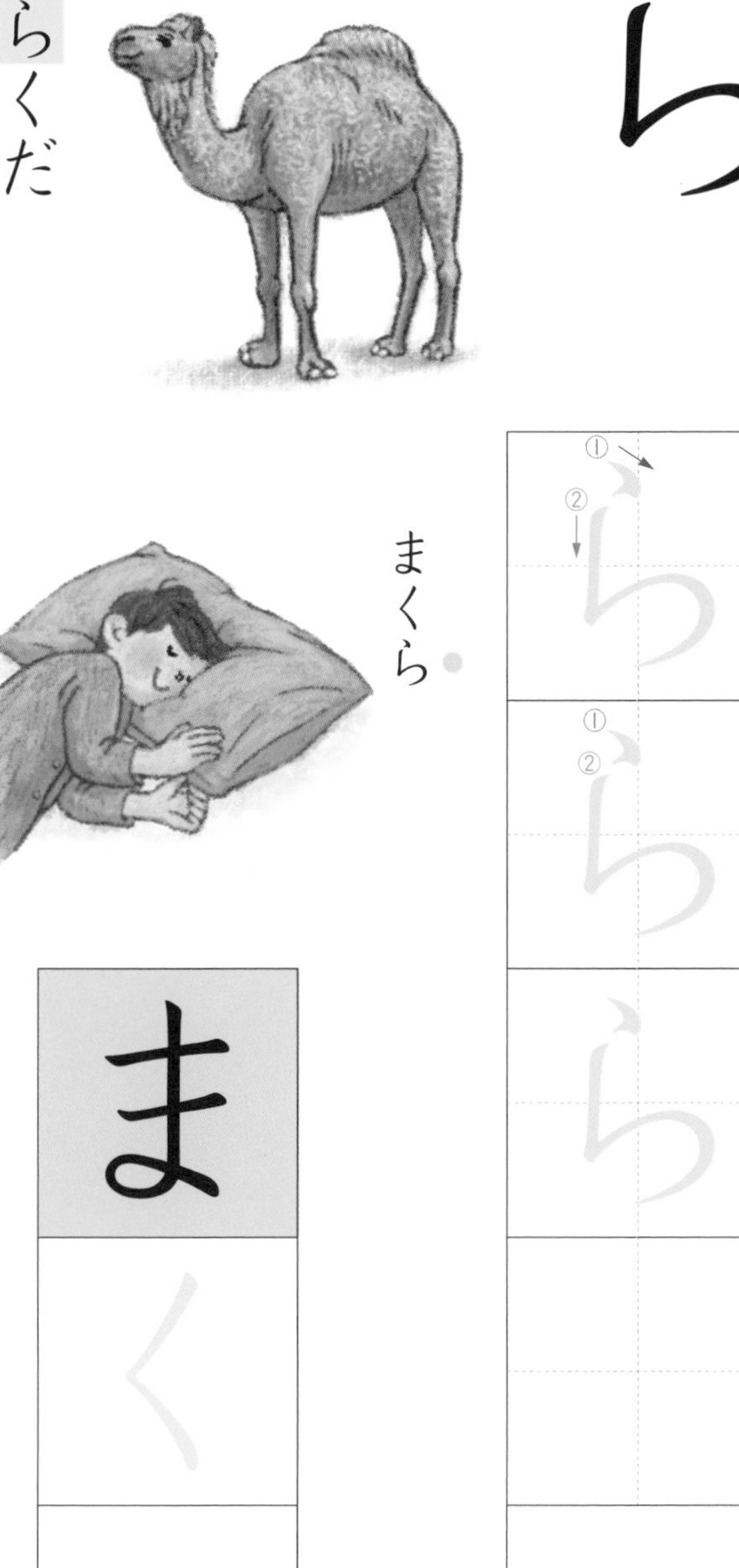

えを みて、ひらがなを かきましょう。（なぞりましょう。）
こえに だして ことばを よみましょう。

20 「ち」と「ぢ」の れんしゅう

がつ
にち
なまえ

おうちのかたへ
「ぢ」は使う機会がとても少ない文字です。また、「じ」と発音が同じため、混乱してしまうことが多いようです。「はなじ」と書いてしまったら、『はなぢ』は『ち』にてんてん」と声をかけ、余白にもう一度「ぢ」と書くようにしてもよいでしょう。

ことばを よみましょう。ひらがなを かきましょう。（なぞりましょう。）

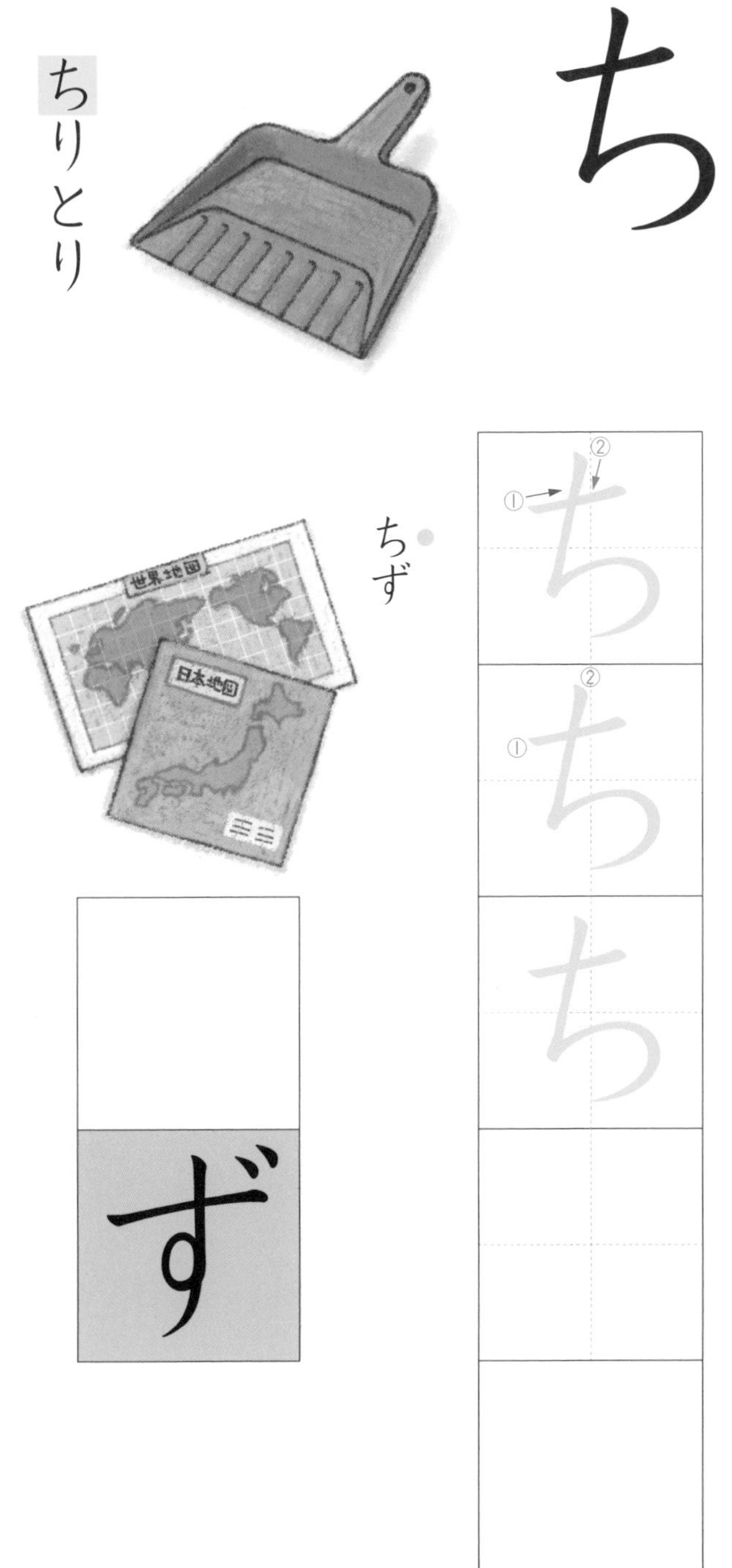

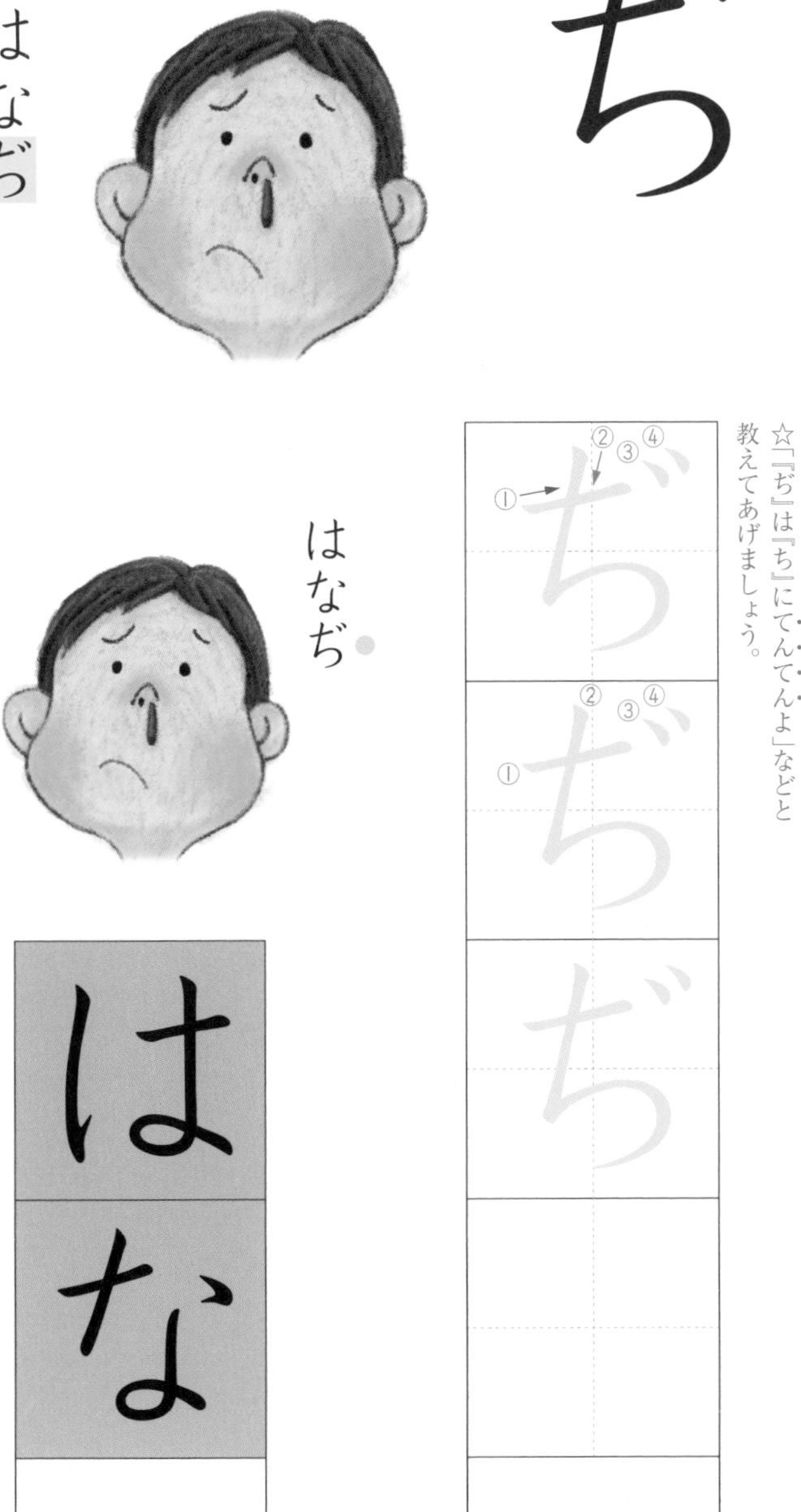

☆「『ぢ』は『ち』にてんてんよ」などと教えてあげましょう。

えを　みて、ひらがなを　かきましょう。（なぞりましょう。）
こえに　だして　ことばを　よみましょう。

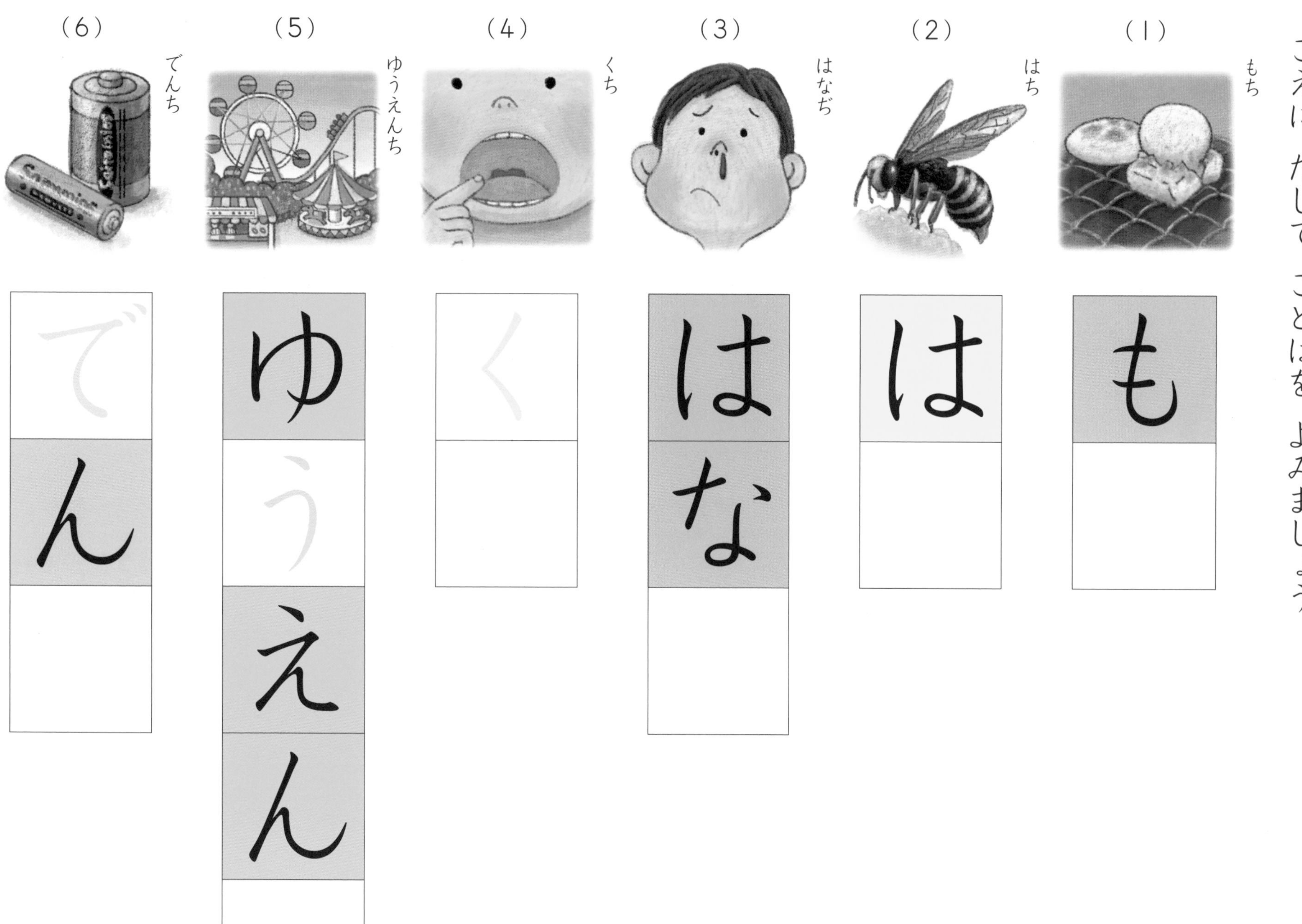

21 「け」と「げ」の れんしゅう

✎ことばを よみましょう。ひらがなを かきましょう。（なぞりましょう。）

がつ
にち
なまえ

おうちのかたへ
だんだんと画数の多いひらがなが出てきます。「①②③の順に、ゆっくりなぞろうね」と、あらためて声をかけてあげてください。1画目の書き出しは、「①→」と青字にしていますので、いつも青字の①のところからなぞることを意識できるとよいでしょう。

け

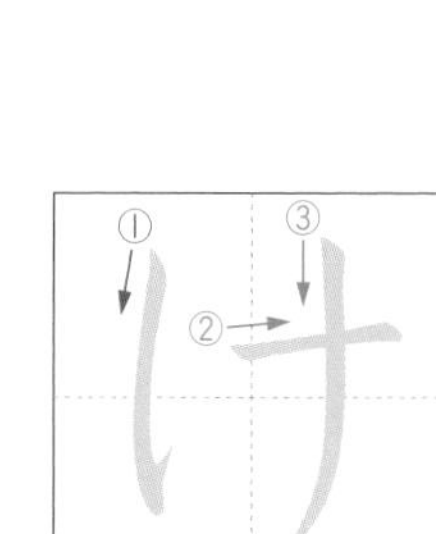

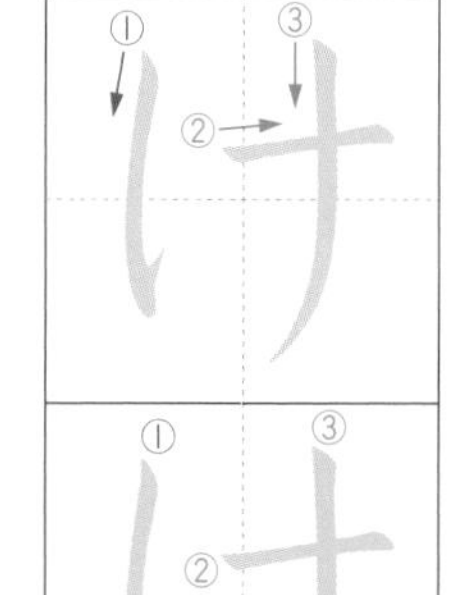

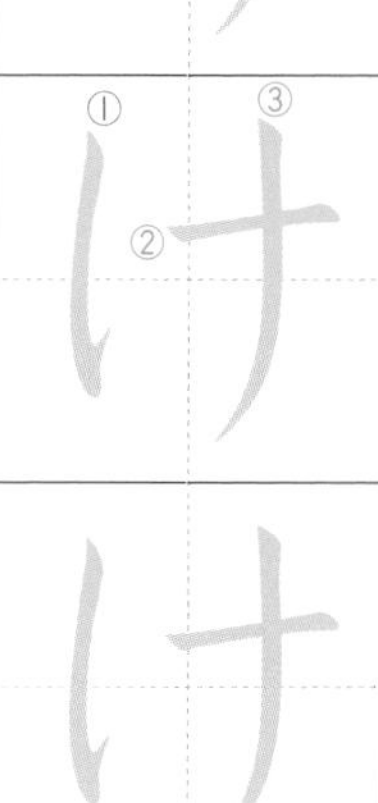

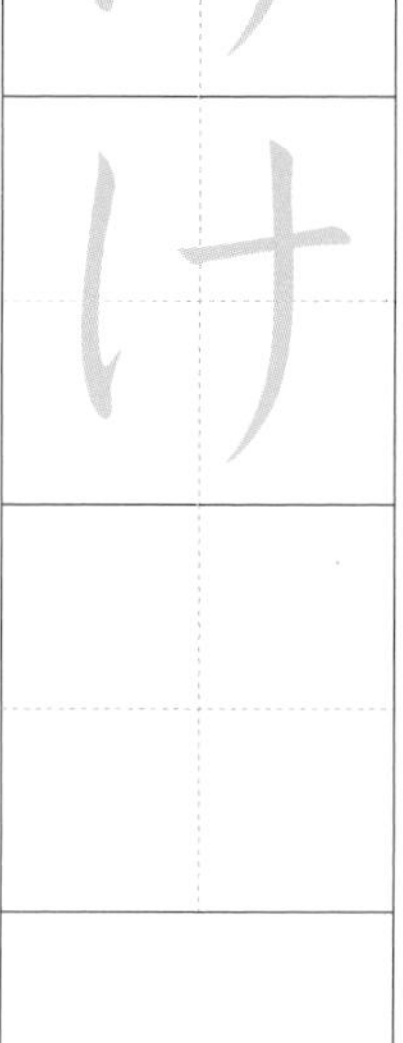

けいと

けむし

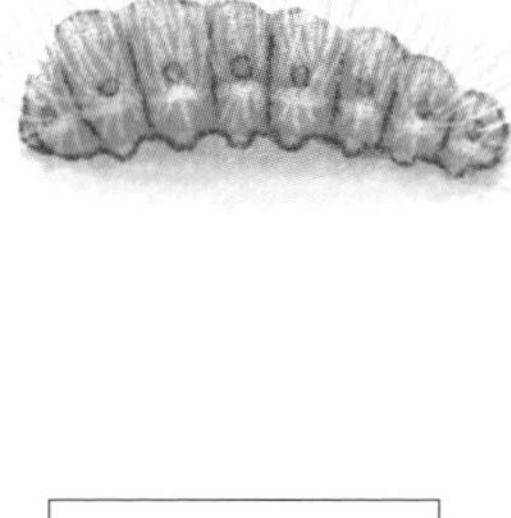

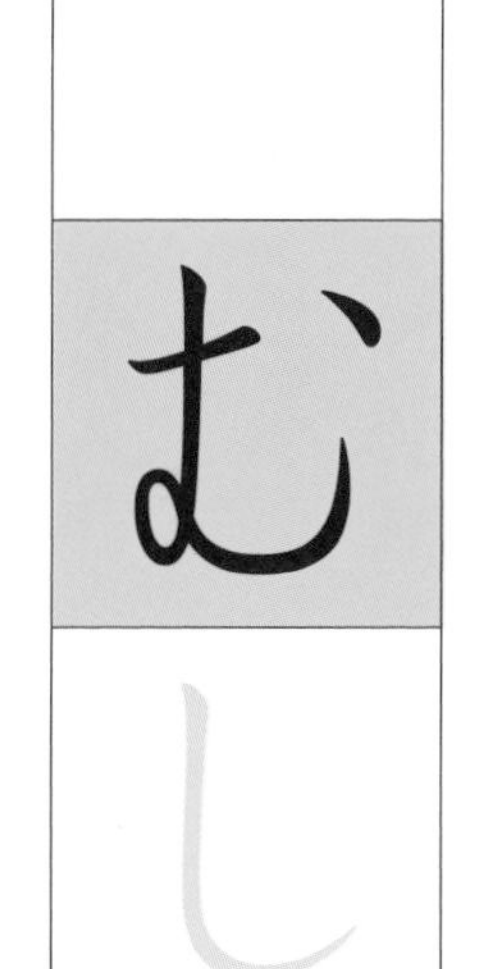

む
し

げ

☆「げ」は「け」にてんてんよ」などと教えてあげましょう。

げた

かげ

か

えを みて、ひらがなを かきましょう。(なぞりましょう。)
こえに だして ことばを よみましょう。

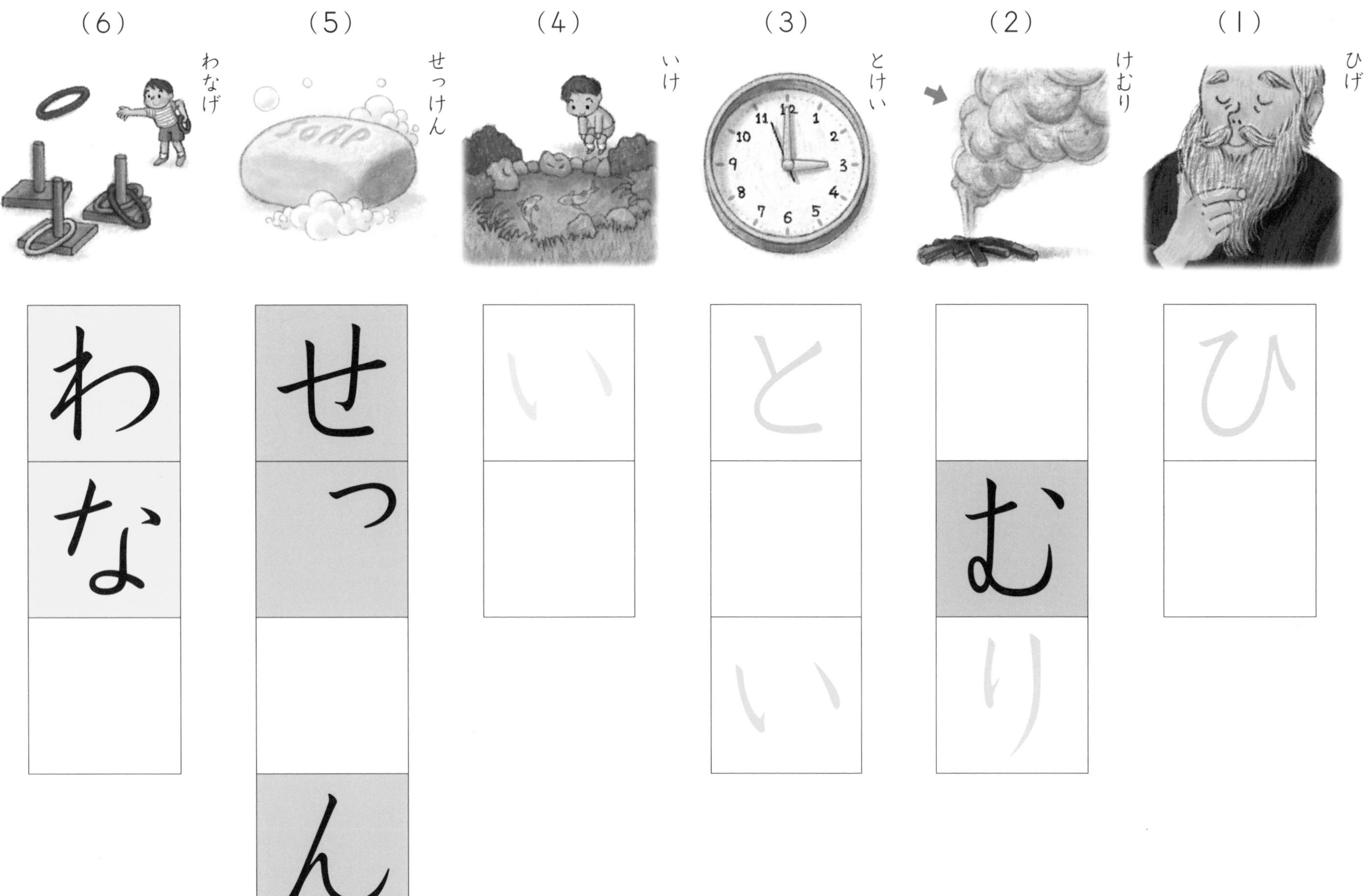

22 「う・ら・ち・ぢ・け・げ」の まとめ

がつ　にち

なまえ

おうちのかたへ

「う」から「げ」までのまとめです。難しいようでしたら、前のページや巻末の「おけいこボード」を見ながら書いてもよいでしょう。穴うめするひらがなをまちがえてしまっても、無理に書き直させたりせず、横に正しいひらがなを書いてあげるなど、次は自分で気づけるようにうながしてあげましょう。

えを みて、ひらがなを かきましょう。（なぞりましょう。）
こえに だして ことばを よみましょう。

（1）
□ま

（2）わな□
わなげ

（3）□りとり
ちりとり

（4）さく□んぼ
さくらんぼ

（5）□いと

（6）う□わ
うちわ

えを みて、ひらがなを かきましょう。（なぞりましょう。）
こえに だして ことばを よみましょう。

（1） はなぢ
は
な
□

（2）
□
む
し

（3） げた
□
た

（4）
□
さ
ぎ

（5）
ゆ
う
え
ん
□

（6）
ま
く
□

23 「は」と「ば」と「ぱ」の れんしゅう

がつ
にち
なまえ

おうちのかたへ
「らっぱ」や「ばった」「かっぱ」など、促音（小さい「っ」）をもちいることばが出てきます。促音は、11ページからもまとめて学習しますが、出てきたことばを声に出して読むことを通して、じょじょに使い方になれていくようにしましょう。読みにくい場合は、おうちのかたがいっしょに読んであげましょう。

ことばを よみましょう。ひらがなを かきましょう。（なぞりましょう。）

は　はと

ば　ばった

ぱ　らっぱ

☆最後をしっかりまるめましょう。

はさみ

さみ

☆「『ば』は『は』にてんてんよ」などと教えてあげましょう。

☆「『ぱ』は『は』にまるよ」などと教えてあげましょう。

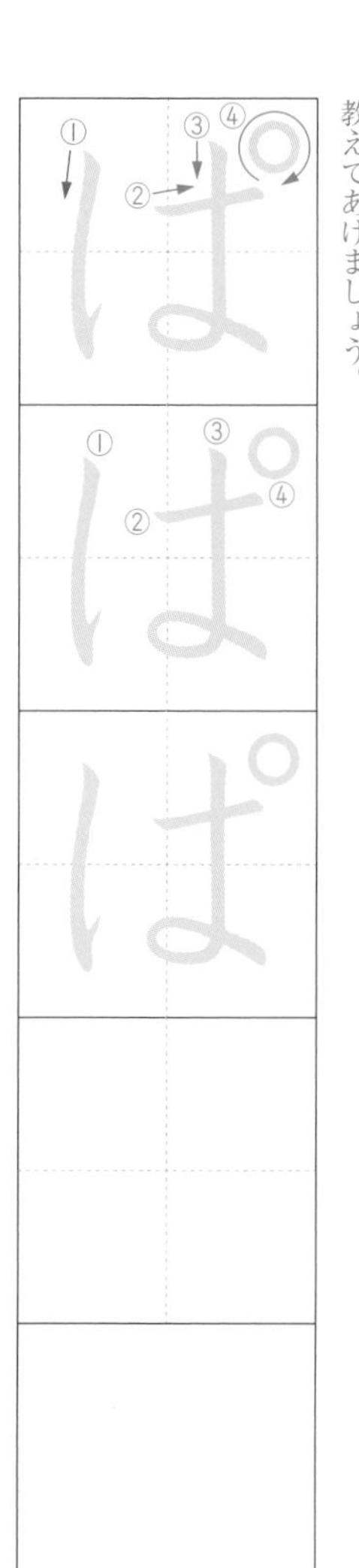

えを みて、ひらがなを かきましょう。（なぞりましょう。）
こえに だして ことばを よみましょう。

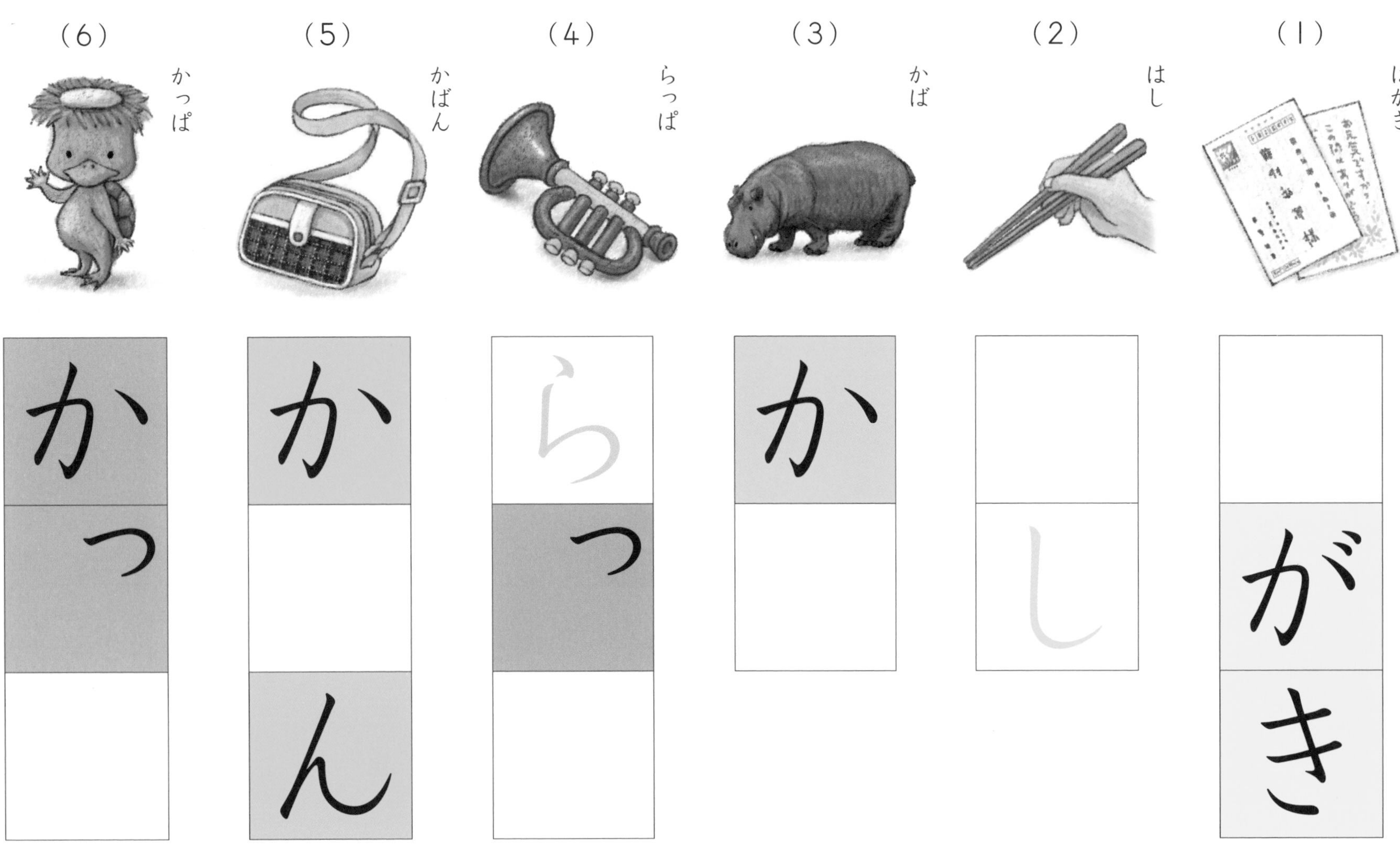

24 「ん」と「え」の れんしゅう

がつ にち なまえ

おうちのかたへ
「ん」や「え」は、折り返すところが難しいひらがなです。いったん止まってから、前の線に沿って折り返す鉛筆の動きを、くり返し練習しましょう。最初はうまく折り返せなくても、じょじょに形が整ってくればよいでしょう。

ことばを よみましょう。ひらがなを かきましょう。（なぞりましょう。）

☆折り返すところは、いったん止まってから向きを変えましょう。

ん

きりん

やかん

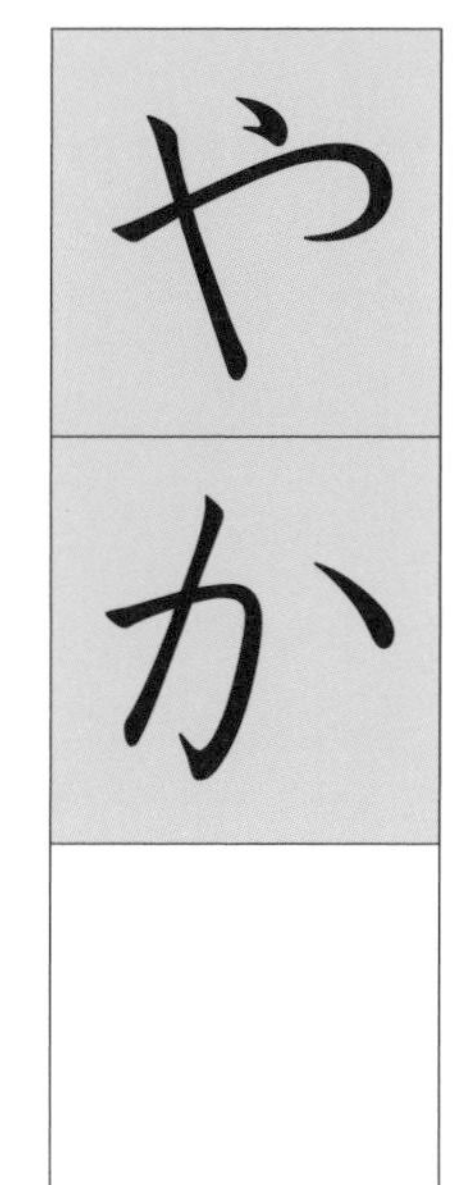

え

えほん

えび

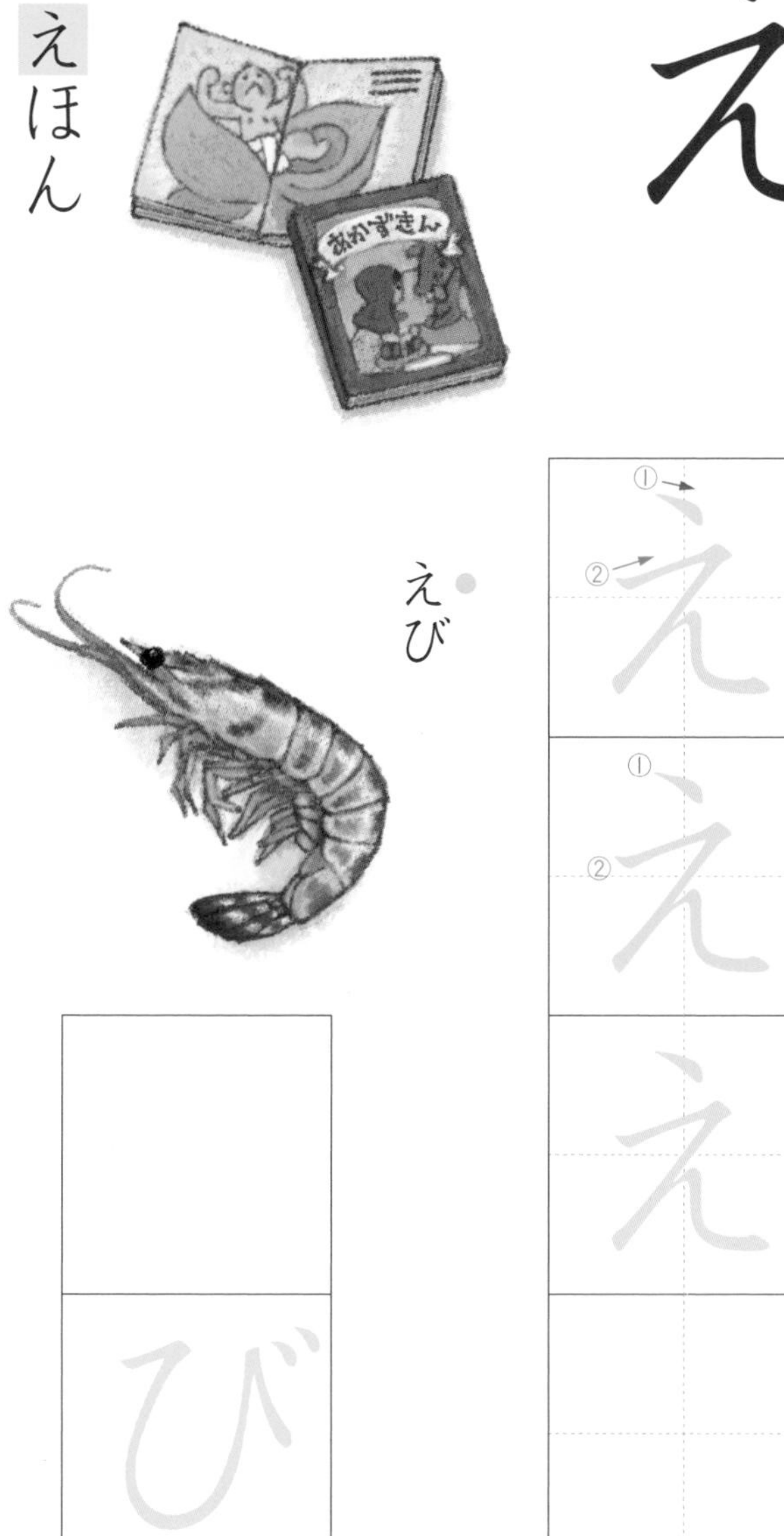

えを みて、ひらがなを かきましょう。（なぞりましょう。）
こえに だして ことばを よみましょう。

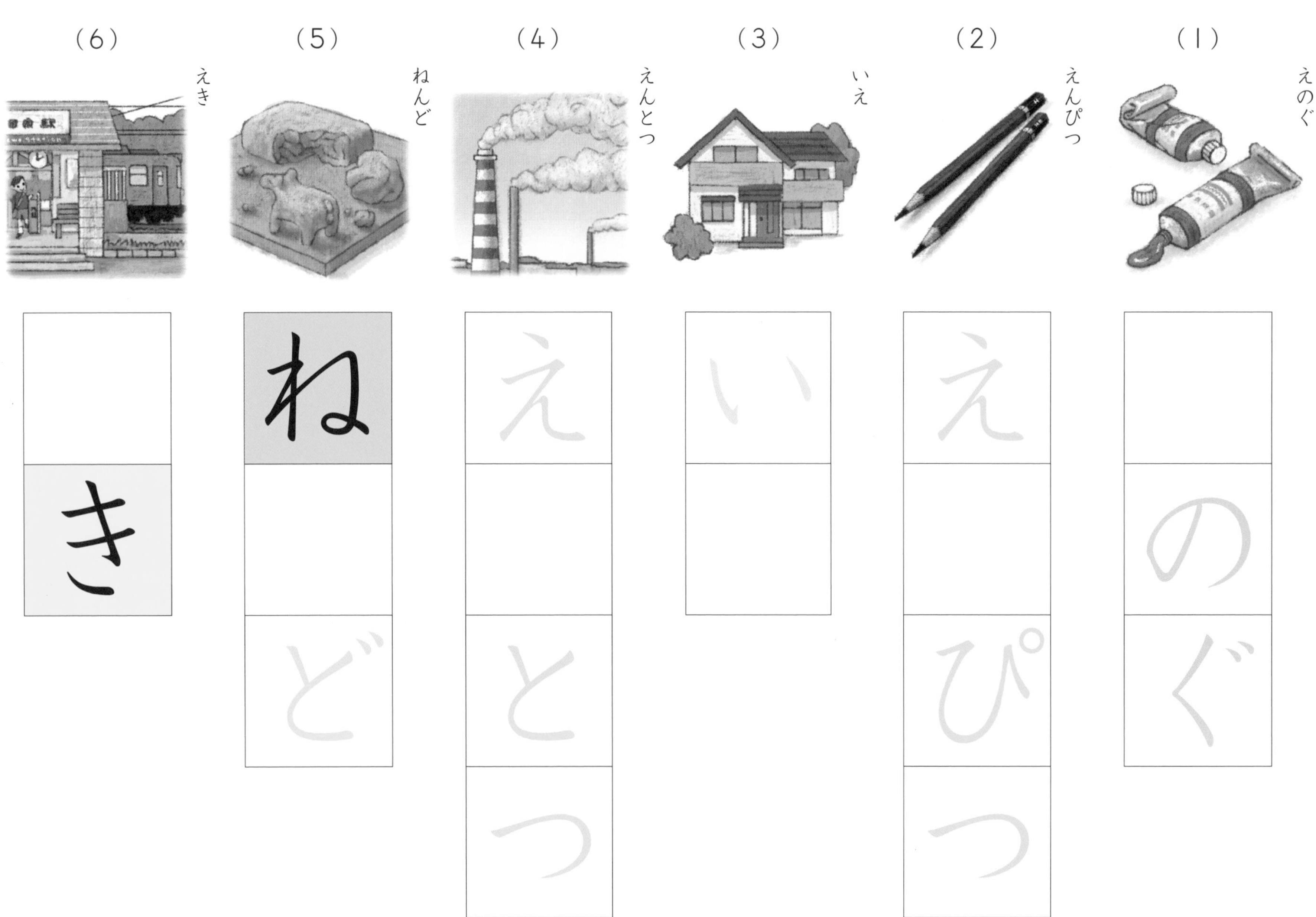

25 「め」と「ぬ」の れんしゅう

✎ことばを よみましょう。ひらがなを かきましょう。（なぞりましょう。）

おうちのかたへ
「め」「ぬ」は形をとらえることが難しいひらがなです。はじめて自力で書くときは、とくに2画目が難しいので、書きはじめる場所を指さして、「ここからぐるっとまわるよ」などと、声をかけてあげましょう。練習が足りないときは、余白や別の紙にくり返し書いてみてもよいでしょう。

がつ　にち　なまえ

め

めだまやき

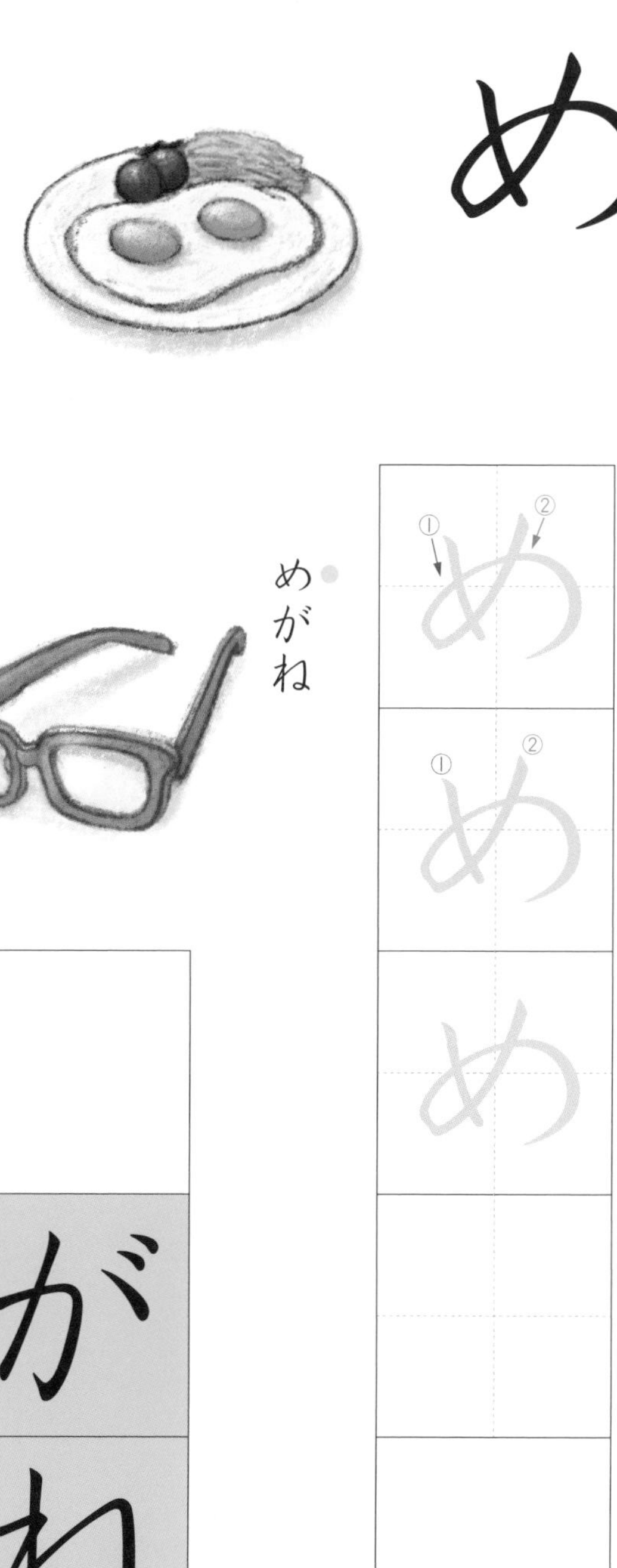

ぬ

ぬりえ

☆最後をしっかりまるめましょう。

えを みて、ひらがなを かきましょう。（なぞりましょう。）
こえに だして ことばを よみましょう。

（1） かめ
か□

（2） めだか
□だか

（3） たぬき
た□き

（4） め
□

（5） せんぬき
せん□き

（6） ぬいぐるみ
□いぐるみ

26 「は・ば・ぱ・ん・え・め・ぬ」の まとめ

がつ　にち　なまえ

おうちのかたへ
「は」から「ぬ」までのまとめです。苦手なひらがながあって、お子さまの手が止まってしまうようでしたら、おうちのかたが横にお手本を書いてあげたり、先にうすく線を書いてなぞり練習にしたりしてもよいでしょう。また、ことばを声に出して読むように声をかけてあげましょう。

えを　みて、ひらがなを　かきましょう。（なぞりましょう。）
こえに　だして　ことばを　よみましょう。

(1) た□き

(2) □った

(3) やか□

(4) □んとつ

(5) □と

(6) □だまやき

えを　みて、ひらがなを　かきましょう。（なぞりましょう。）
こえに　だして　ことばを　よみましょう。

（1）
らっ

（2）
ち

（3）
いぐるみ

（4）
がね

（5）
ほん

（6）
ねど

27 「み」と「よ」の れんしゅう

ことばを よみましょう。ひらがなを かきましょう。（なぞりましょう。）

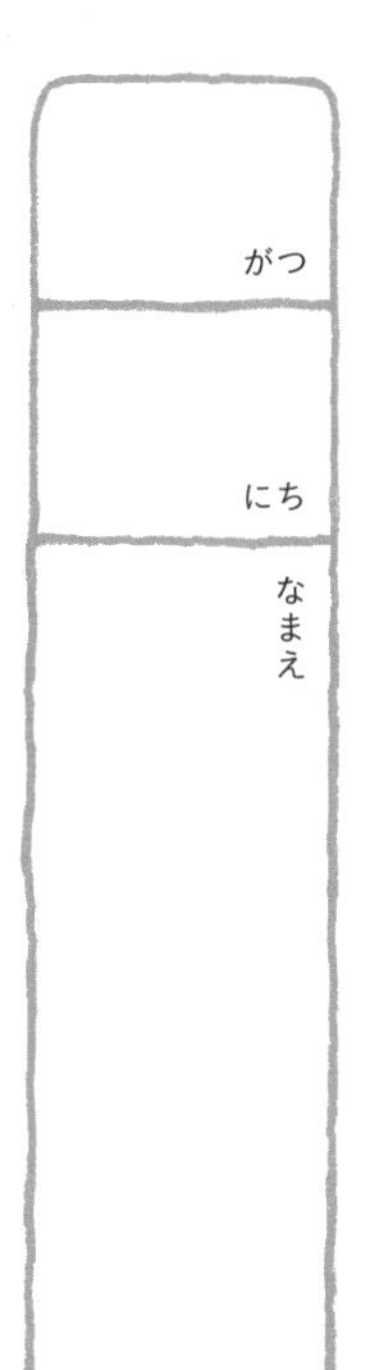

おうちのかたへ

お子さまにとって、ひらがなを自力で書くことは、たいへん難しく、集中力のいることです。１枚おわるごとにたくさんほめてあげましょう。１日１枚（２ページ）など、学習枚数を決めて、少しずつ続けることをおすすめしていますが、取り組みたくない日は無理をせず、お子さまのペースで進めてください。

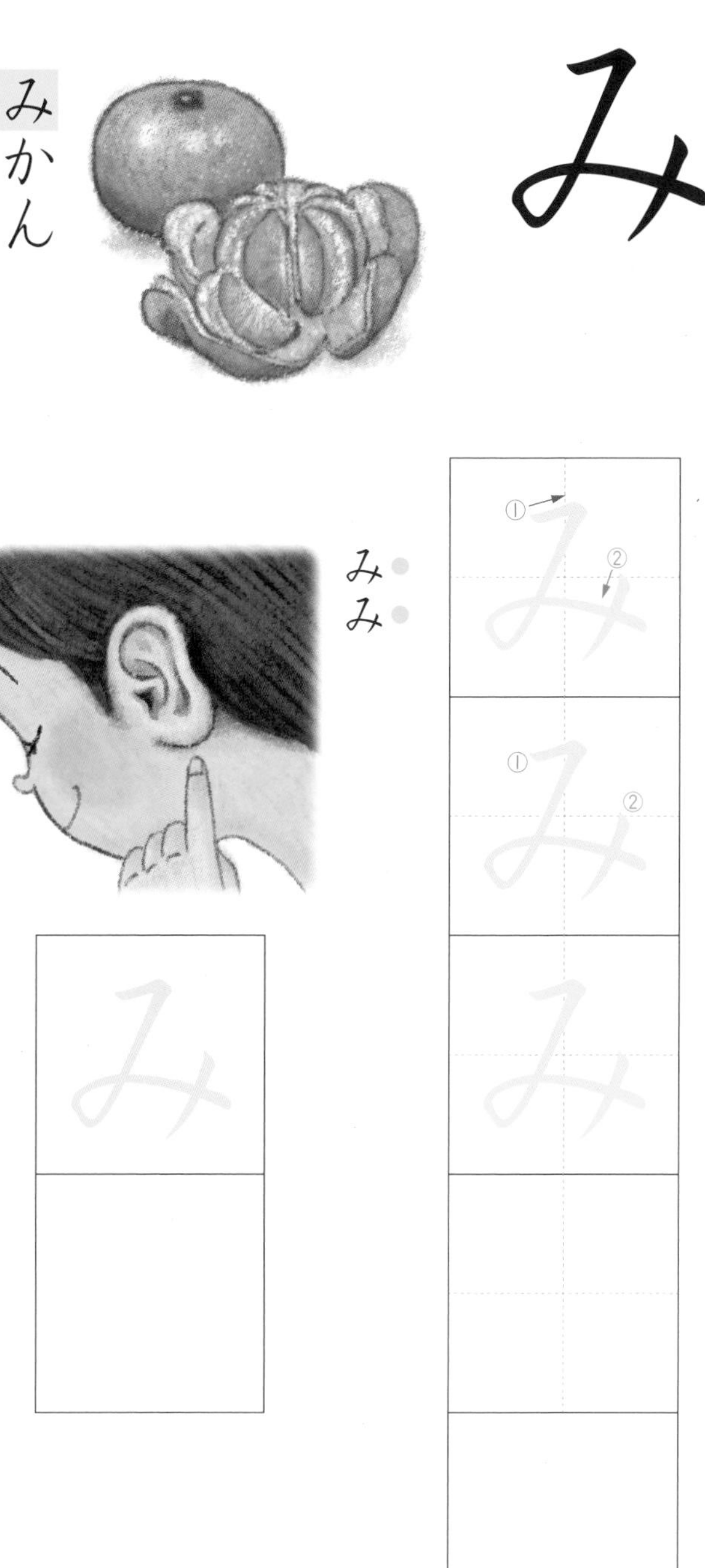

☆書き順に気をつけましょう。

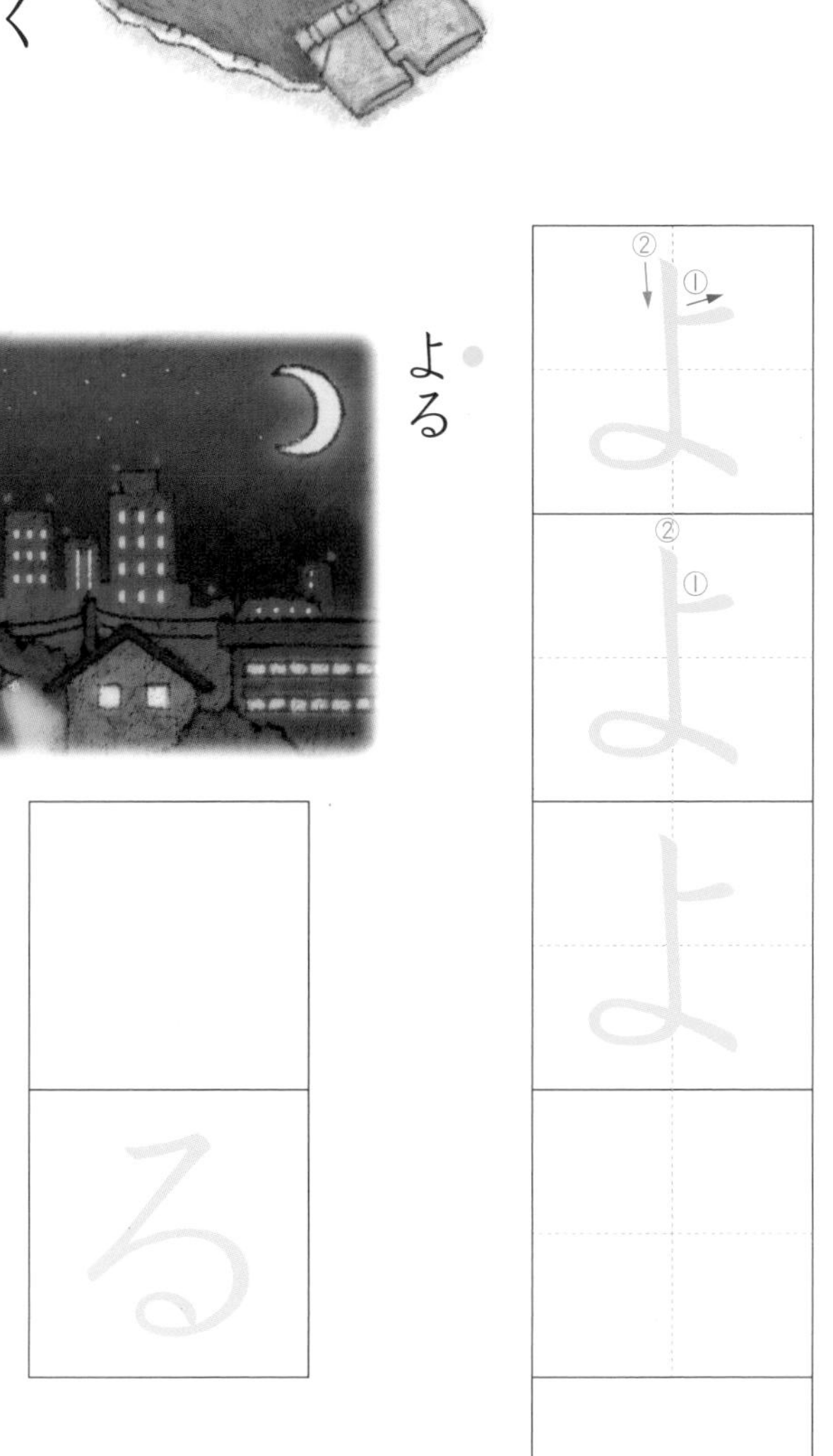

えを　みて、ひらがなを　かきましょう。（なぞりましょう。）
こえに　だして　ことばを　よみましょう。

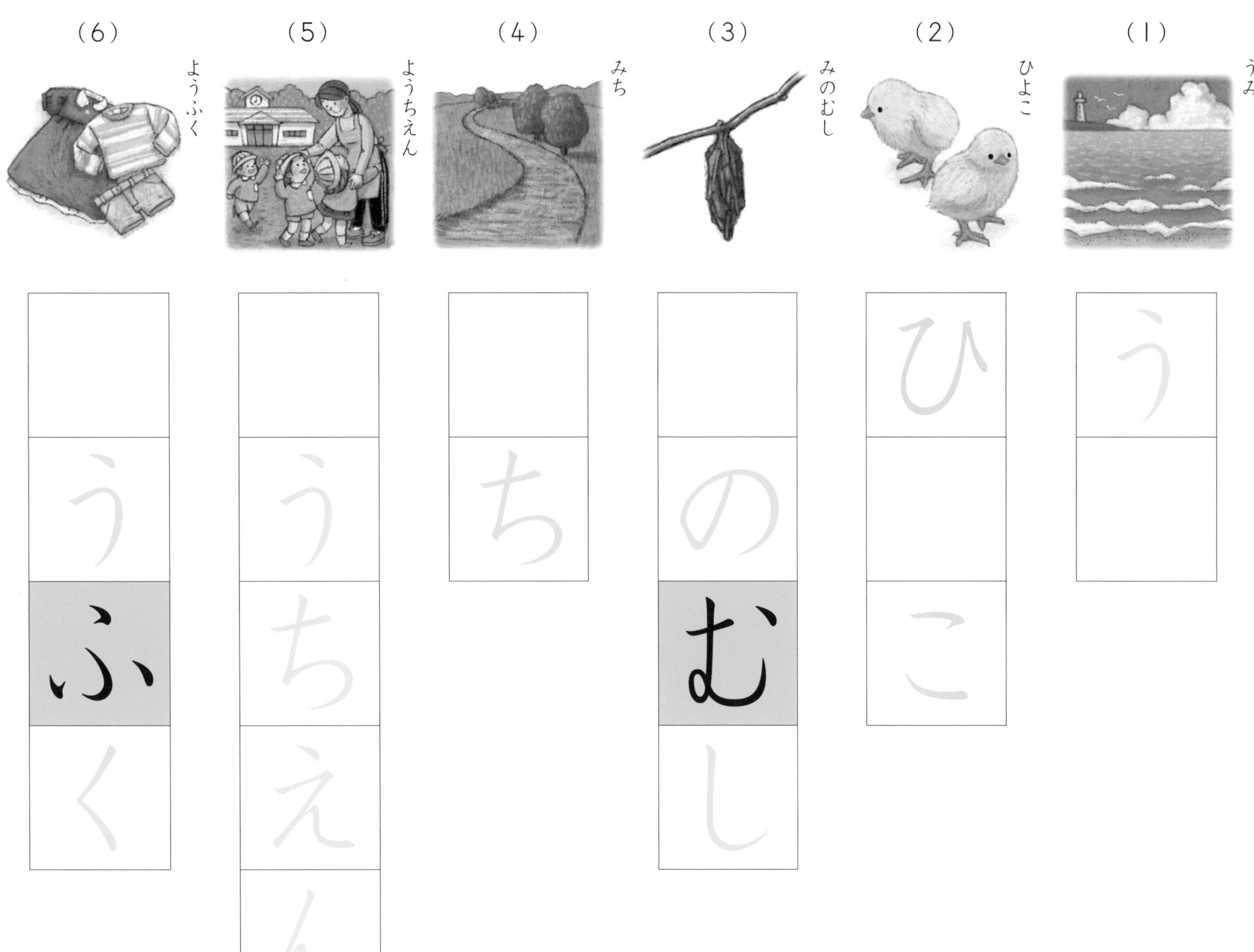

28 「す」と「ず」の れんしゅう

ことばを よみましょう。ひらがなを かきましょう。（なぞりましょう。）

おうちのかたへ
本書では、ひらがなの定着と同時に、お子さまのことばの世界を広げられるよう、身近なことばをなるべく多くのせています。図鑑や絵辞典、童謡、絵本なども、お子さまのことばの世界をおおいに広げてくれます。文字の学習とともに、日常生活のいろいろな場面で、ことばに多くふれさせてあげてください。

がつ　にち　なまえ

☆「『ず』は『す』にてんてんよ」などと教えてあげましょう。

えを みて、ひらがなを かきましょう。(なぞりましょう。)
こえに だして ことばを よみましょう。

(1) いす
い

(2) ねずみ
ね み

(3) すず
す

(4) すべりだい
べ り だ い

(5) すみれ
み れ

(6) ずかん
か ん

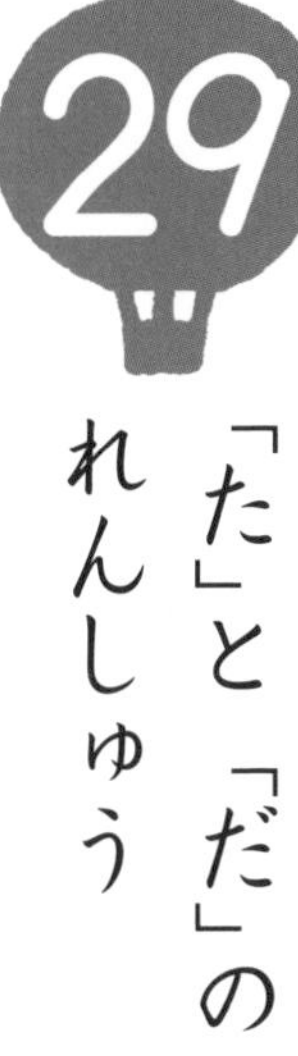

29 「た」と「だ」の れんしゅう

がつ にち なまえ

おうちのかたへ
書き順は、文字の形がしっかりと身についたあとに、くり返し書くことではじめて正しく覚えられるものです。まちがえて書いていても無理に書き直させたりせず、「次は①②③④の順に書けるかな」「『た』は横の線からだね」などと声をかけてあげましょう。少しずつ覚えられればよいという気持ちで接してあげてください。

ことばを よみましょう。ひらがなを かきましょう。（なぞりましょう。）

た

たまご

☆書き順に気をつけましょう。

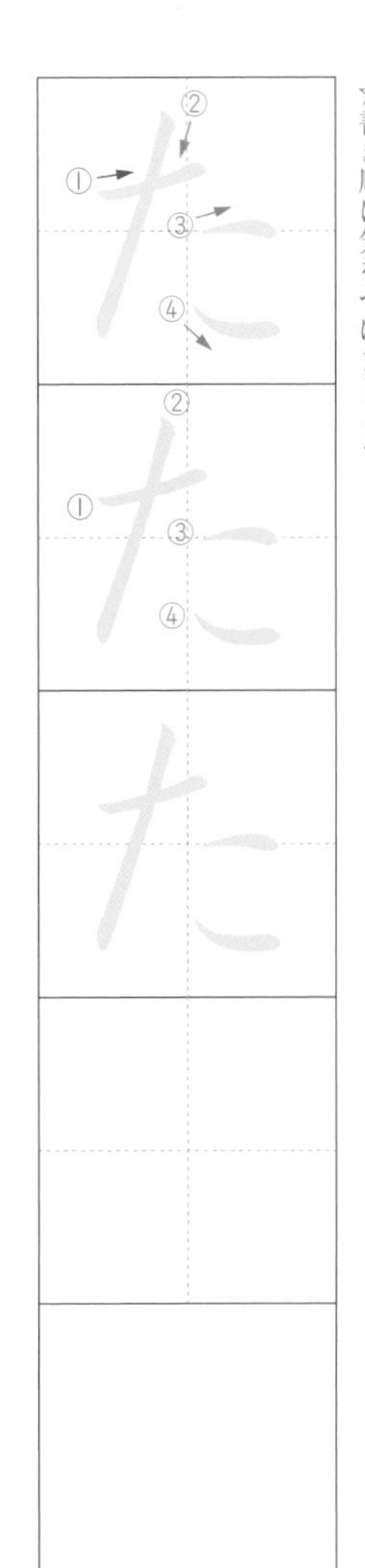

たいこ

だ

だいこん

☆「『だ』は『た』にてんてんよ」などと教えてあげましょう。

だるま

58

「た」と「だ」の れんしゅう

えを みて、ひらがなを かきましょう。（なぞりましょう。）
こえに だして ことばを よみましょう。

30 「み・よ・す・ず・た・だ」の まとめ

がつ　にち　なまえ

おうちのかたへ

「み」から「だ」までのまとめです。難しい場合は、前のページや巻末の「おけいこボード」を見せてあげるとよいでしょう。自分の力で同じ字をさがし出したり、見て書き写したりすることも、定着につながります。お子さまがじょうずに書けるひらがなを見つけて、おおいにほめてあげましょう。

✎えを みて、ひらがなを かきましょう。（なぞりましょう。）
こえに だして ことばを よみましょう。

（1） □かん

（2） □かん

（3） □まご

（4） □うふく

（5） □るま

（6） □いか

えを みて、ひらがなを かきましょう。（なぞりましょう。）
こえに だして ことばを よみましょう。

31 「わ」と「れ」と「ね」の れんしゅう ❶

がつ　にち　なまえ

おうちのかたへ
「わ」「れ」「ね」は鉛筆を細かく動かすところが多く、形を整えることが難しいひらがなです。折り返すところや、「れ」の最後のはらうところ、「ね」の最後のまるめるところを、ゆっくりていねいに書くよう、みちびいてあげましょう。

ことばを よみましょう。ひらがなを かきましょう。（なぞりましょう。）

わ

わに

れ
れいぞうこ

ね
ねこ

☆折り返すところに気をつけましょう。
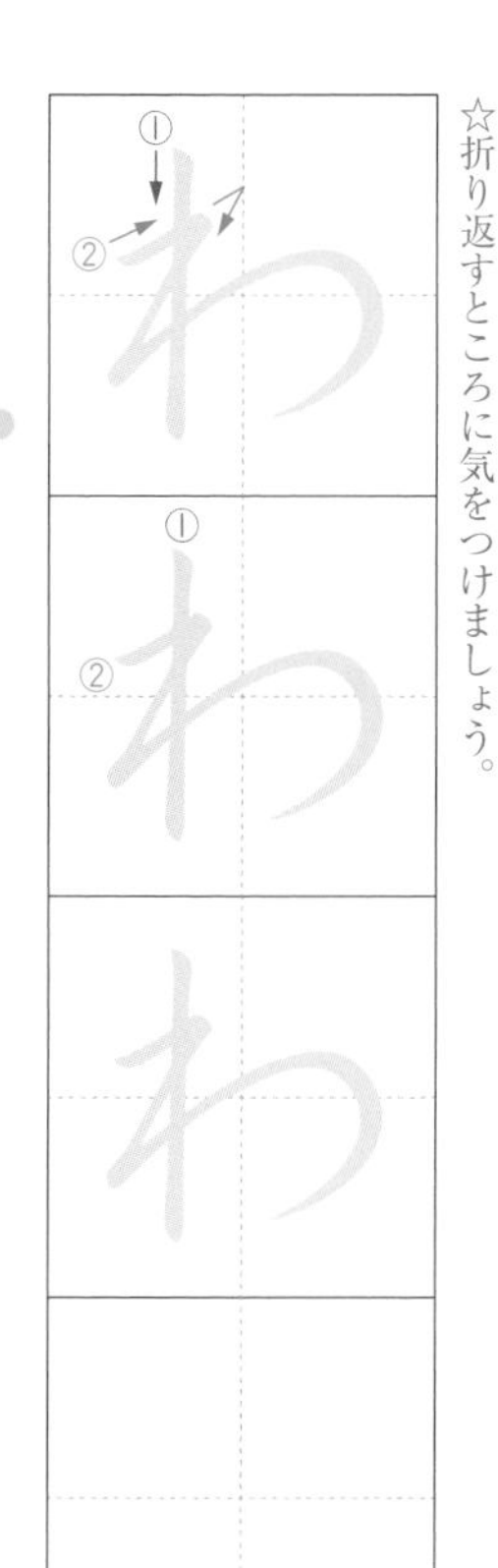
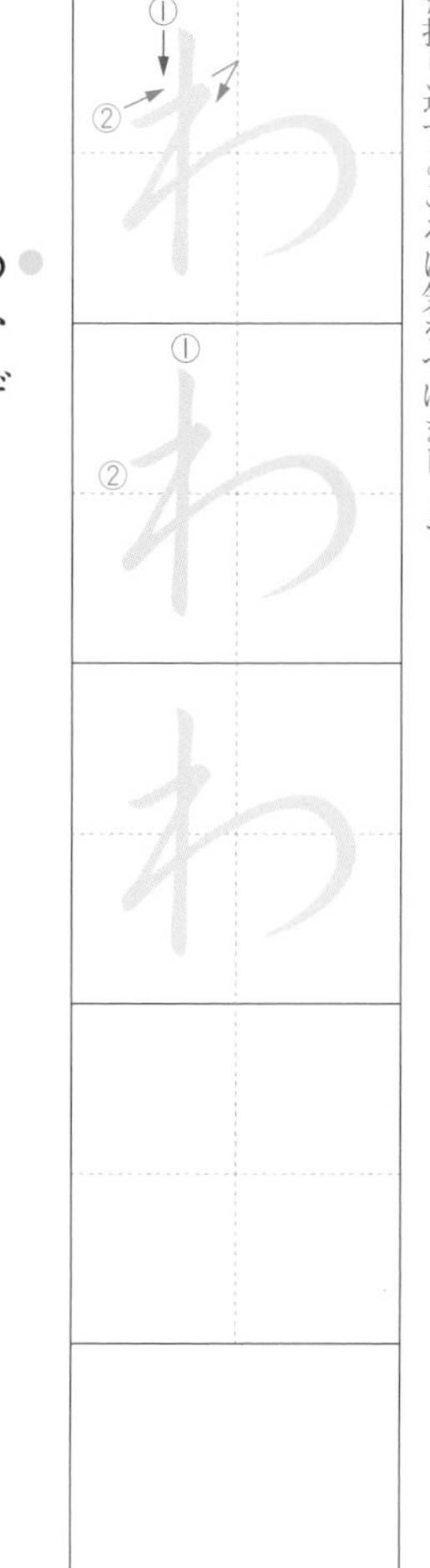

わなげ

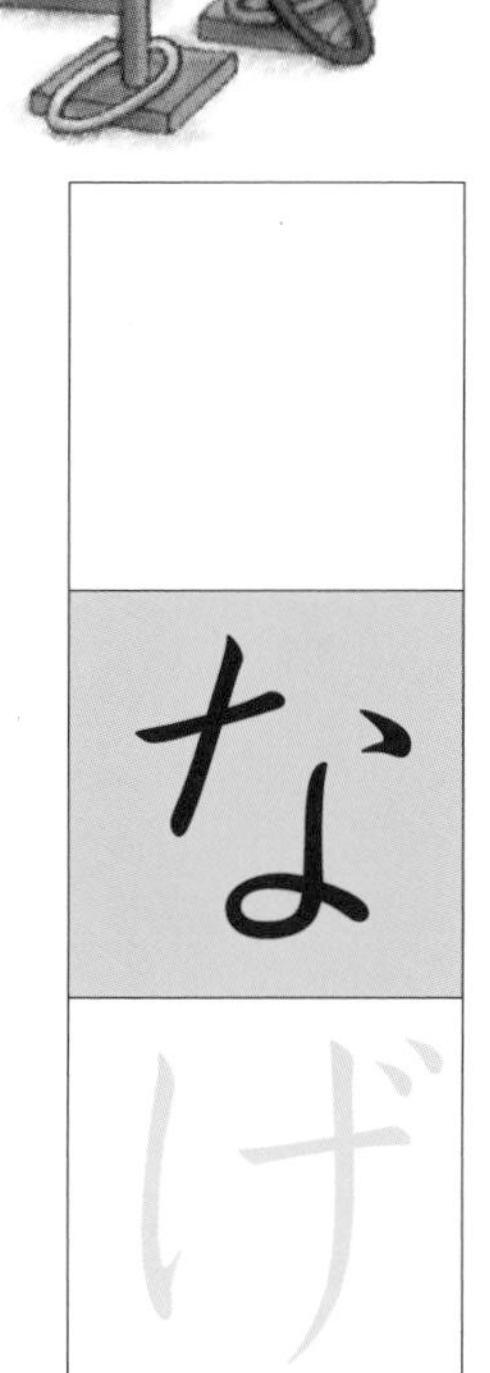
な げ

☆最後は、ななめ上に向かってはらいましょう。
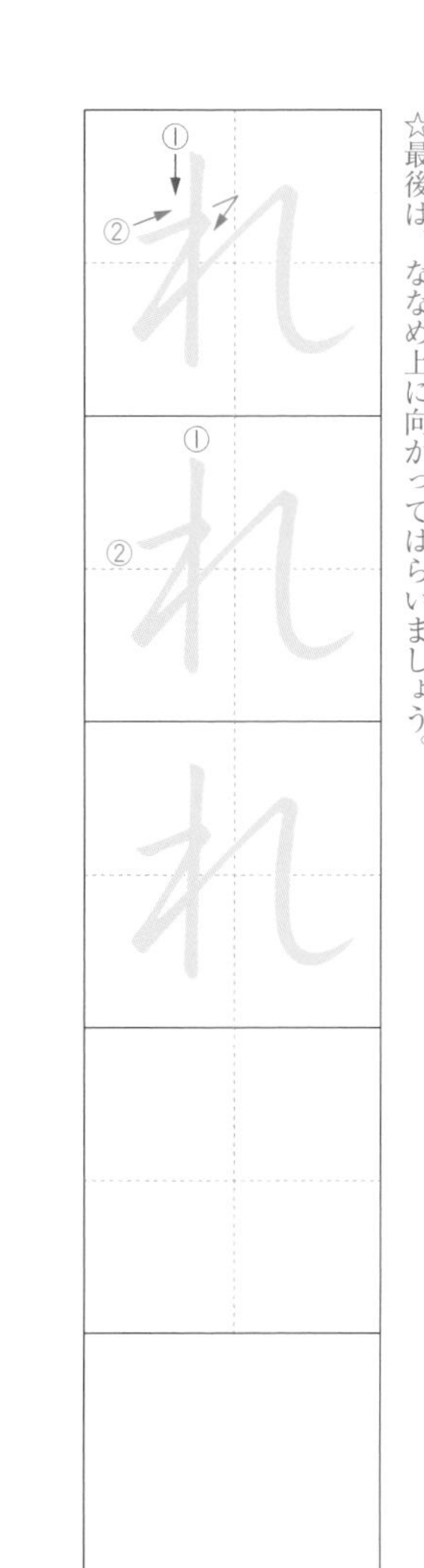

☆最後をしっかりまるめましょう。
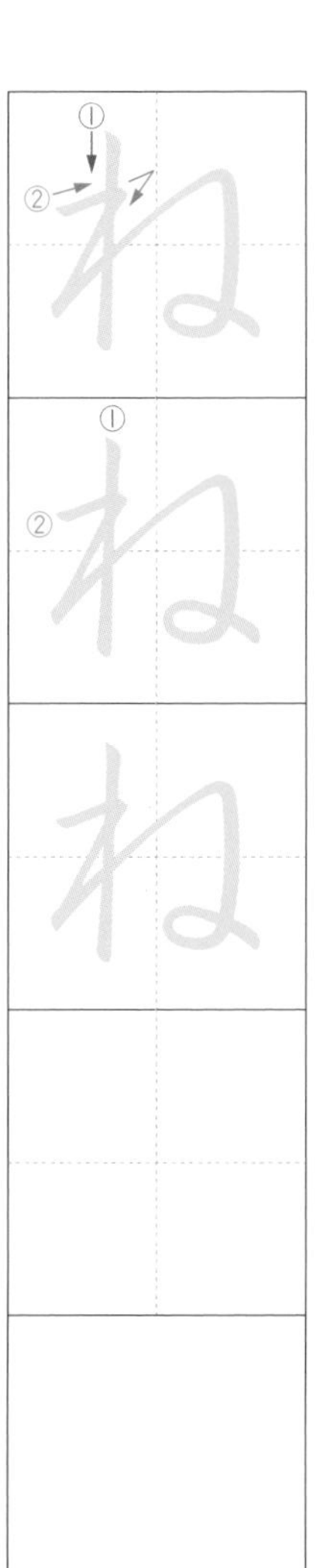

えを みて、ひらがなを かきましょう。(なぞりましょう。)
こえに だして ことばを よみましょう。

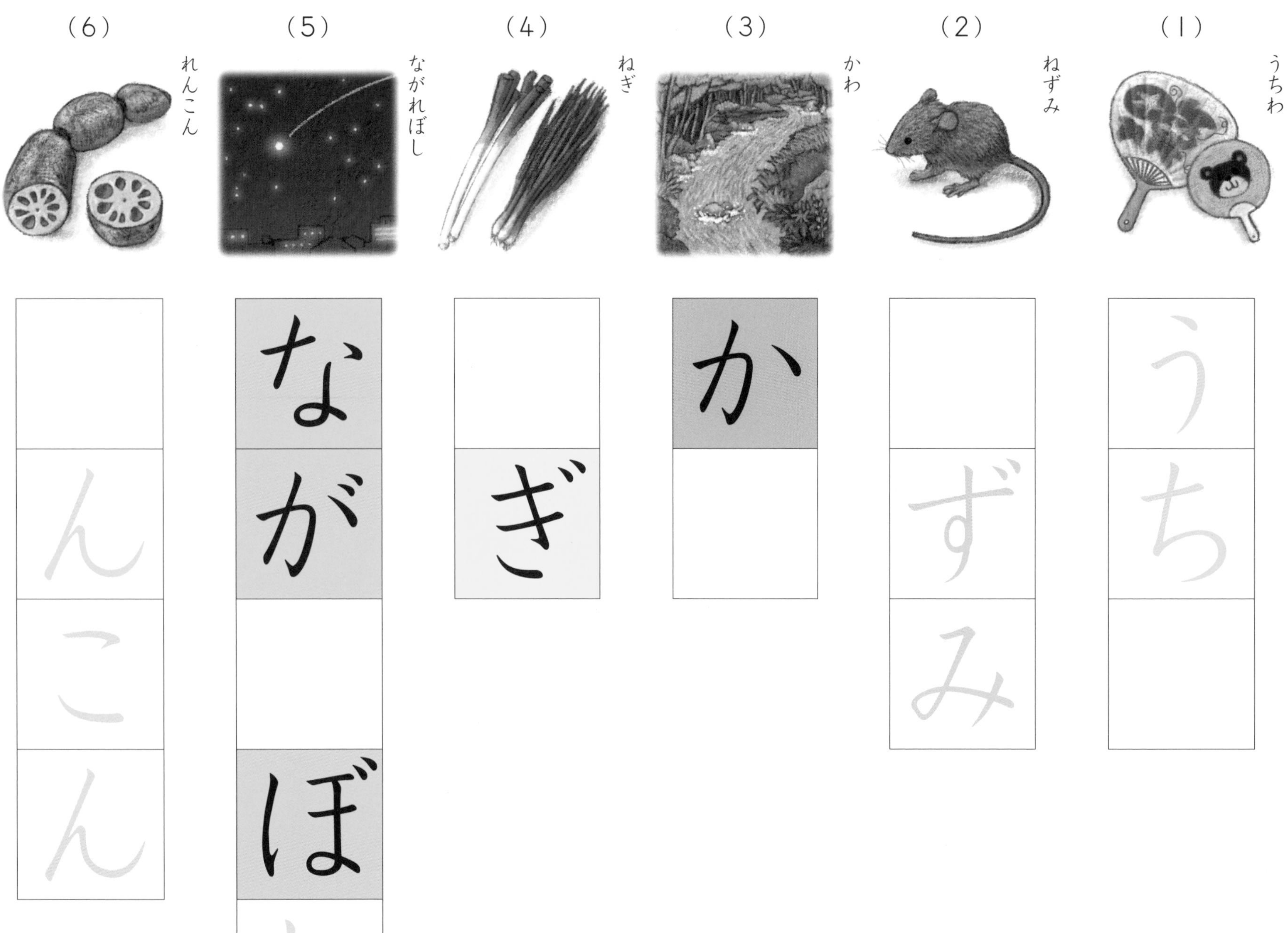

32 「わ」と「れ」と「ね」の れんしゅう ❷

がつ　にち　なまえ

おうちのかたへ

「おしいれ」「れんが」などは、お子さまにとって実際に目にすることが少ないことばかもしれません。「これは何？」と聞かれたら、おうちのかたが説明してあげ、実物を見かけたり、絵本に出てきたりしたときに、また声をかけてあげるとよいでしょう。お子さまの知っていることばがふえていくことを、いっしょに楽しみましょう。

えを みて、ひらがなを かきましょう。（なぞりましょう。）
こえに だして ことばを よみましょう。

（1）ふね　ふ
（2）すみれ　すみ
（3）はね　は
（4）にわとり　に　とり
（5）わりばし　りばし
（6）れいぞうこ　いぞうこ

えを みて、ひらがなを かきましょう。（なぞりましょう。）
こえに だして ことばを よみましょう。

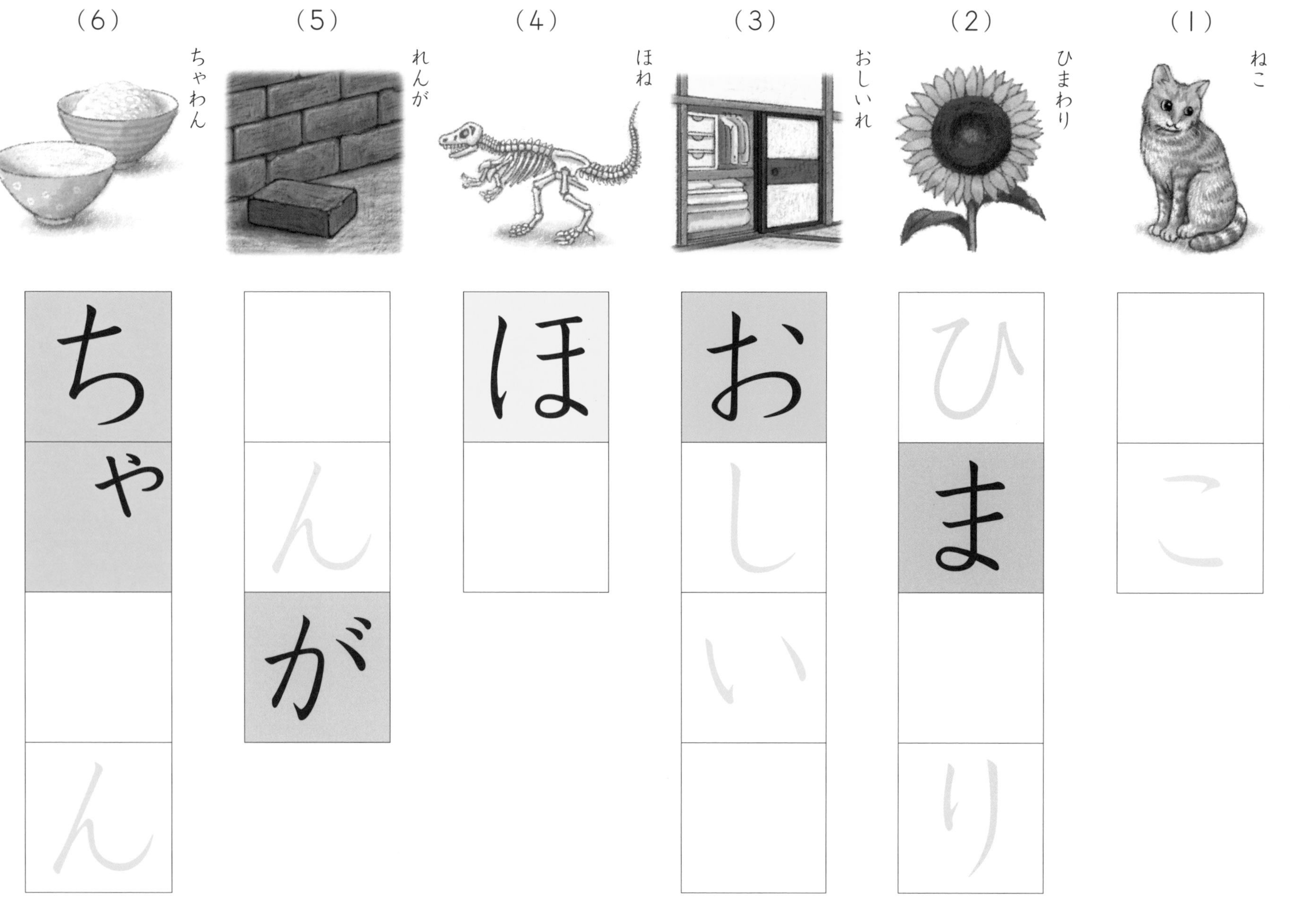

33 「も」と「に」の れんしゅう

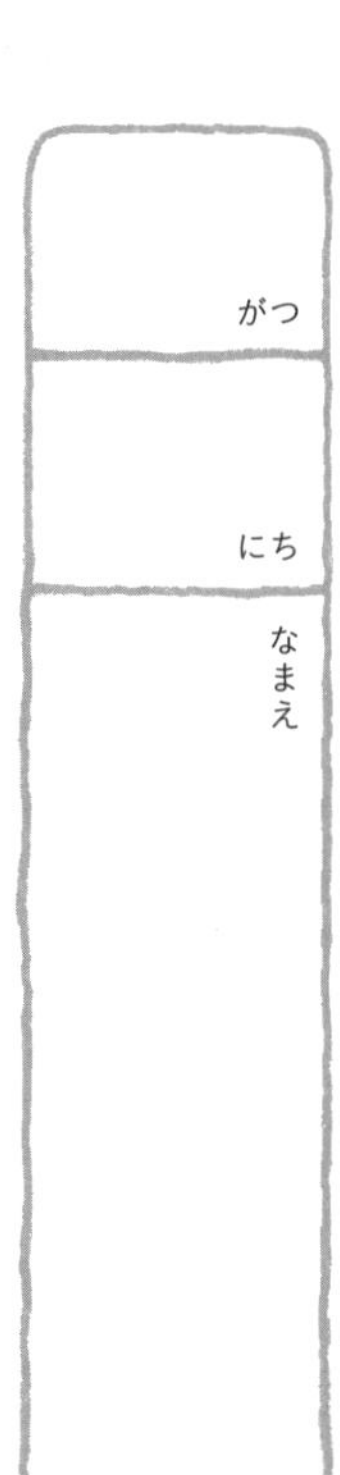

おうちのかたへ
絵を楽しみながら進めることも、楽しく学習を続けるためのよい方法です。「あたたかそうな毛布だね」「○○ちゃんのすきなももだね」「すきな絵が出てきたら教えてね」などと、お話をしながら進めてもよいでしょう。

ことばを よみましょう。ひらがなを かきましょう。(なぞりましょう。)

☆書き順に気をつけましょう。

も

もも

も も も

もうふ

う ふ

に

にんじん

に に に

にじ

じ

えを みて、ひらがなを かきましょう。（なぞりましょう。）
こえに だして ことばを よみましょう。

（1）　（2）　（3）　（4）　（5）　（6）

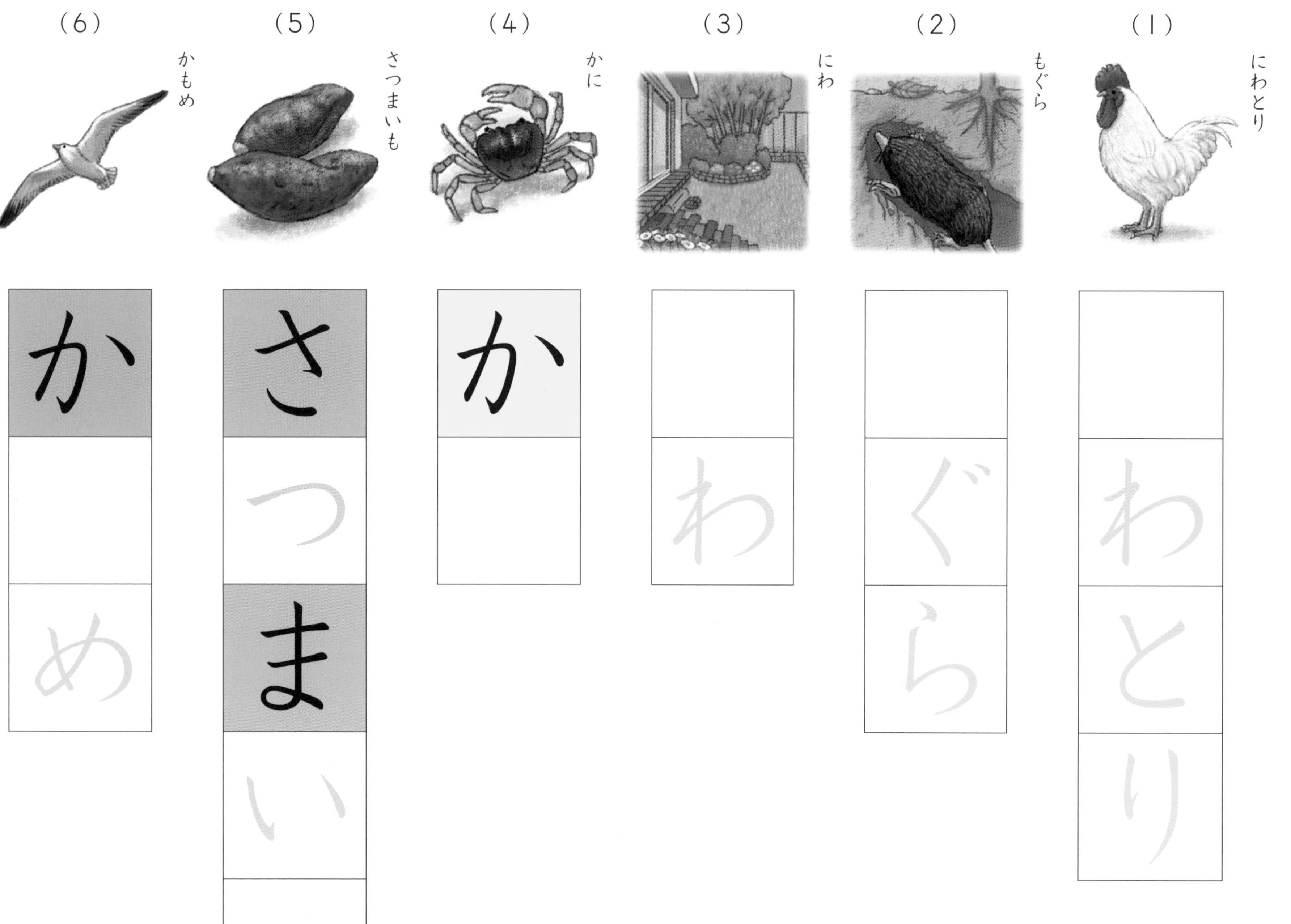

34 「わ・れ・ね・も・に」の まとめ

がつ

にち

なまえ

おうちのかたへ

お子さまがまちがえているとき、わからないときに、「そうじゃないでしょ」「こうでしょ」と言いすぎると、やる気をそいでしまうことがあります。横にお手本をおいてあげたり、おうちのかたが先にうすく線を書いてなぞり練習にしたりと、なるべくお子さまが自分の力でできたと思えるような形で、手助けしてあげるのがよいでしょう。

えを みて、ひらがなを かきましょう。（なぞりましょう。）
こえに だして ことばを よみましょう。

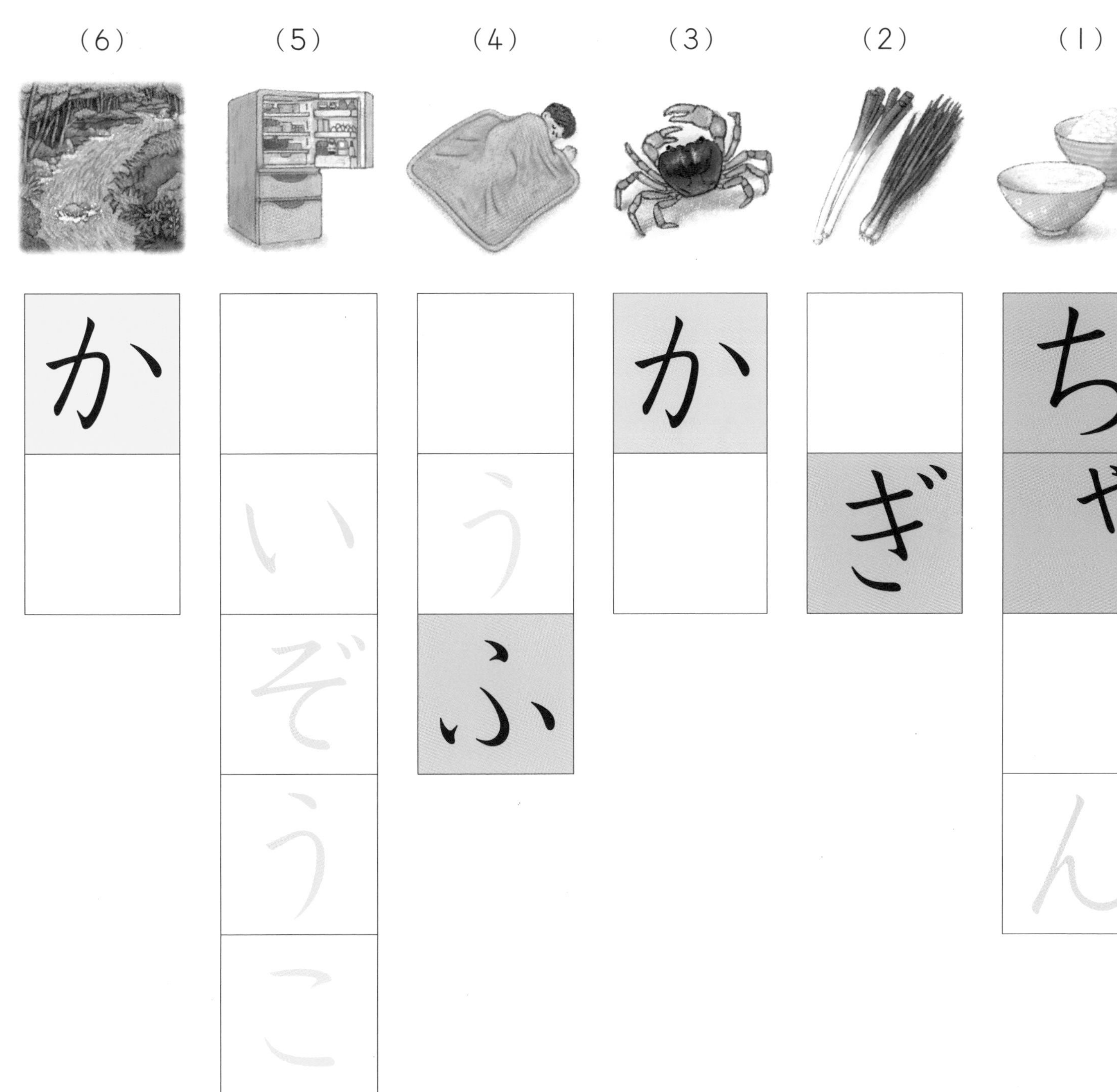

えを みて、ひらがなを かきましょう。（なぞりましょう。）こえに だして ことばを よみましょう。

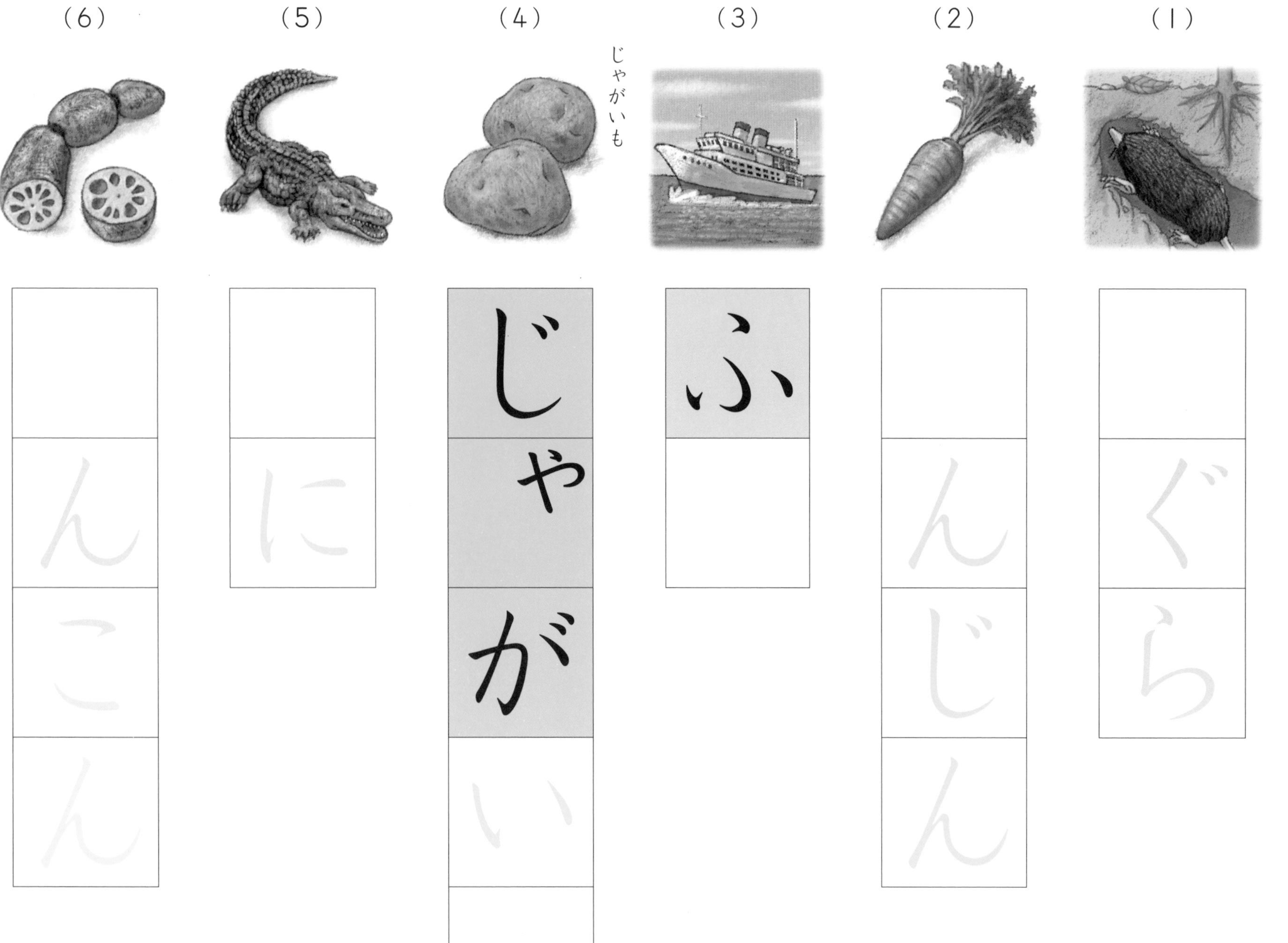

35 「う」から「に」の まとめ ❶

がつ　にち　なまえ

おうちのかたへ
ここまでの16枚で学習したひらがなを、2枚に渡って復習していきます。学習したひらがなを忘れてしまっている場合は、前に書いたページか、巻末の「おけいこボード」を見せてあげてもよいでしょう。書きおわったら、お子さまのがんばりをおおいにほめて、認めてあげましょう。

えを　みて、ひらがなを　かきましょう。（なぞりましょう。）
こえに　だして　ことばを　よみましょう。

（1）

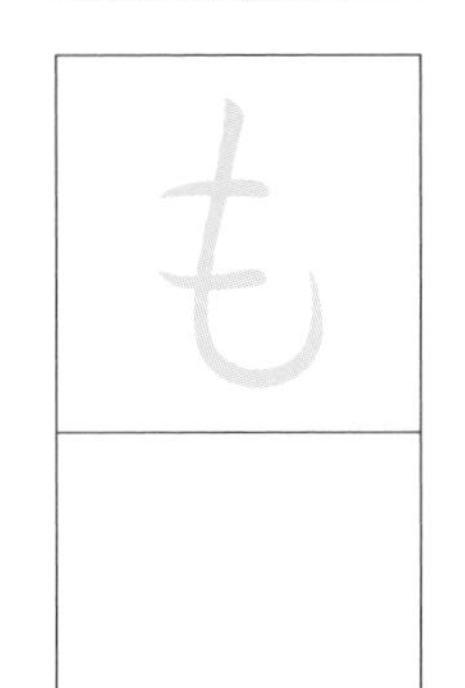

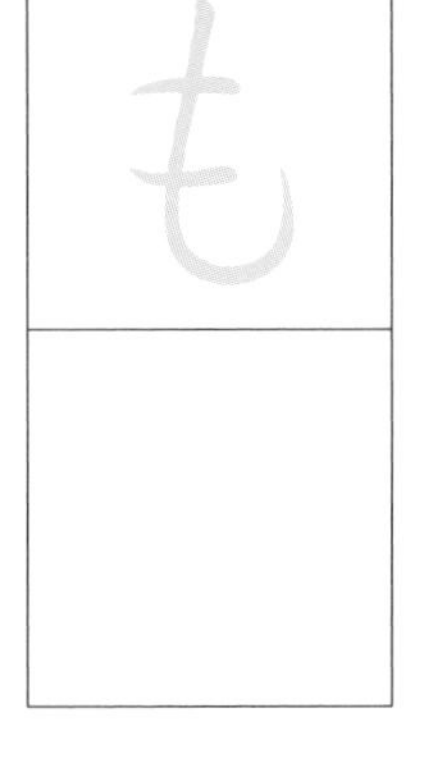

も

（2）

し

（3）

は

（4）

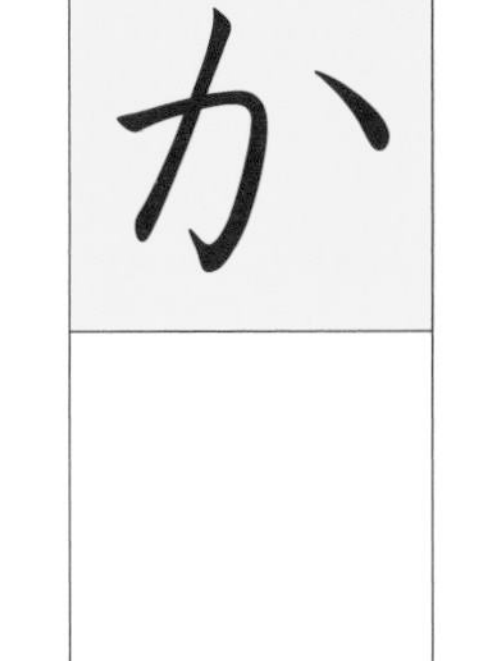

か

（5）

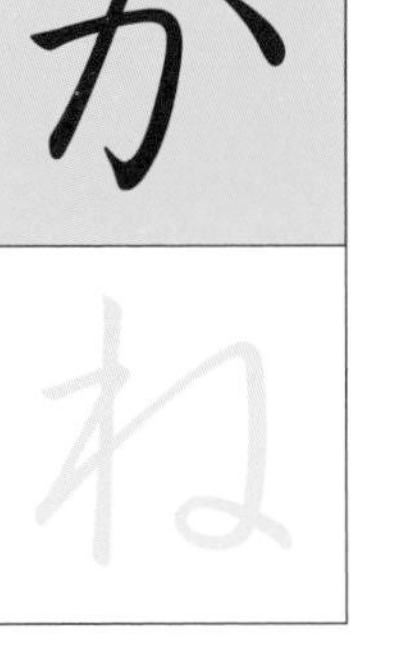

が
ね

（6）

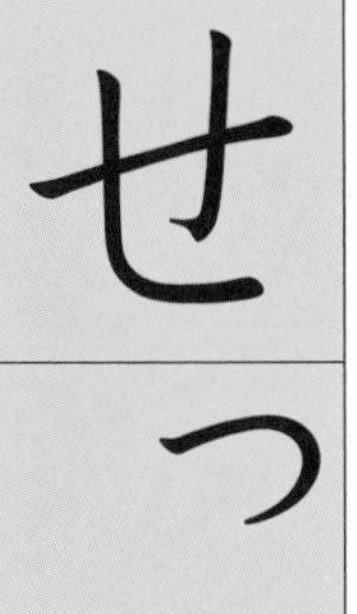

せ
っ
ん

（7）

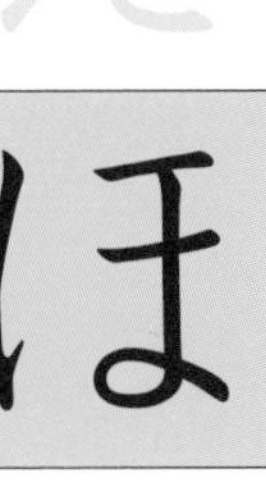

え
ほ

えを みて、ひらがなを かきましょう。（なぞりましょう。）
こえに だして ことばを よみましょう。

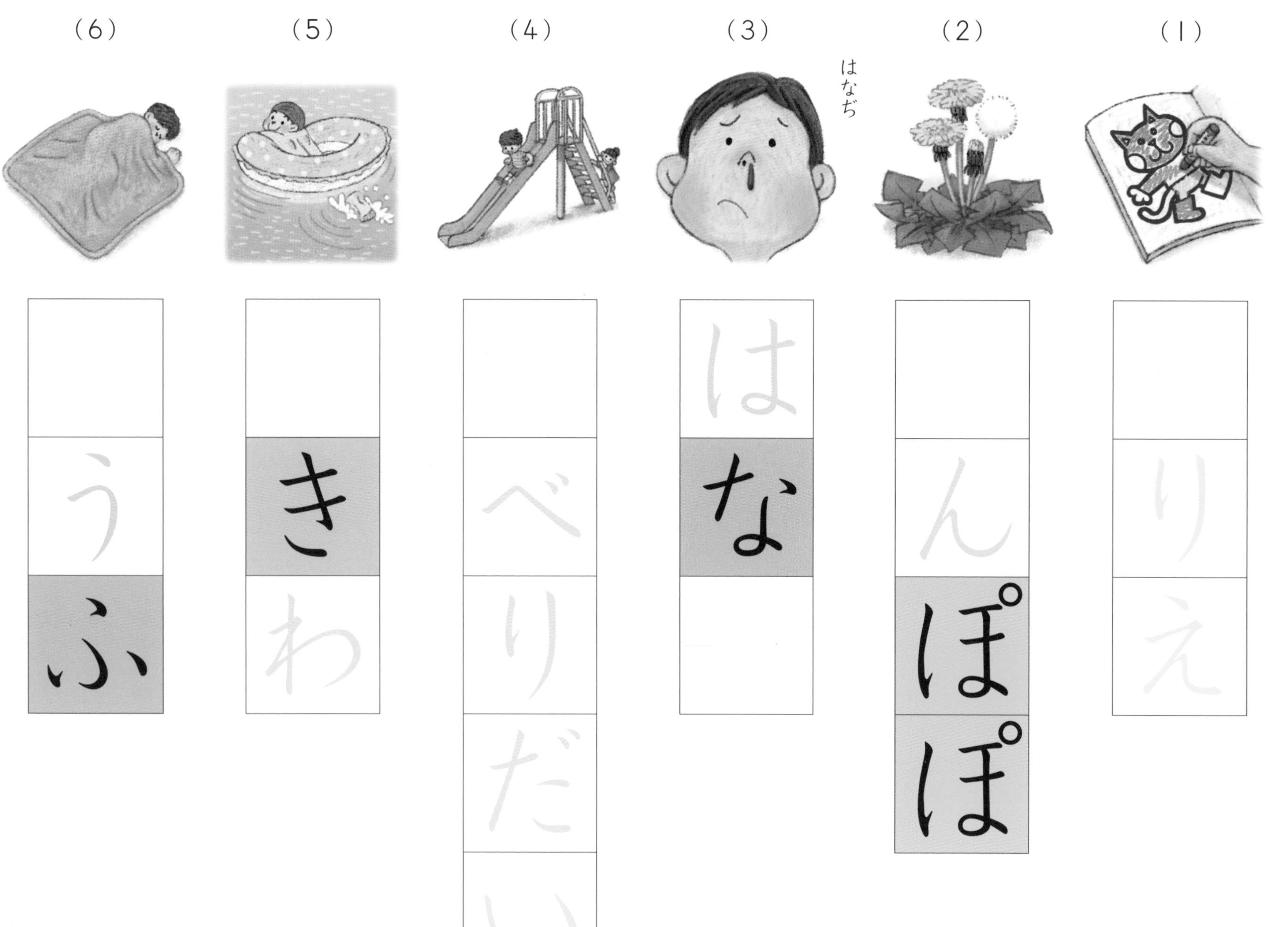

36 「う」から「に」の まとめ❷

がつ　にち　なまえ

おうちのかたへ
うら面は、今までに出てきたことばを使ったしりとりになっています。白いマスが多くなっていますが、前のことばの最後のひらがなと同じひらがなを、次のことばの最初に書くことを教えてあげてください。じょじょに、ひらがな一字一字を書く力を、ことばを書く力につなげていきましょう。

えを みて、ひらがなを かきましょう。（なぞりましょう。）
こえに だして ことばを よみましょう。

（1）い

（2）う

（3）か

（4）は

（5）かっ

（6）うちえん

（7）んこん

えに あう ひらがなを かいて(なぞって)、しりとりを しましょう。

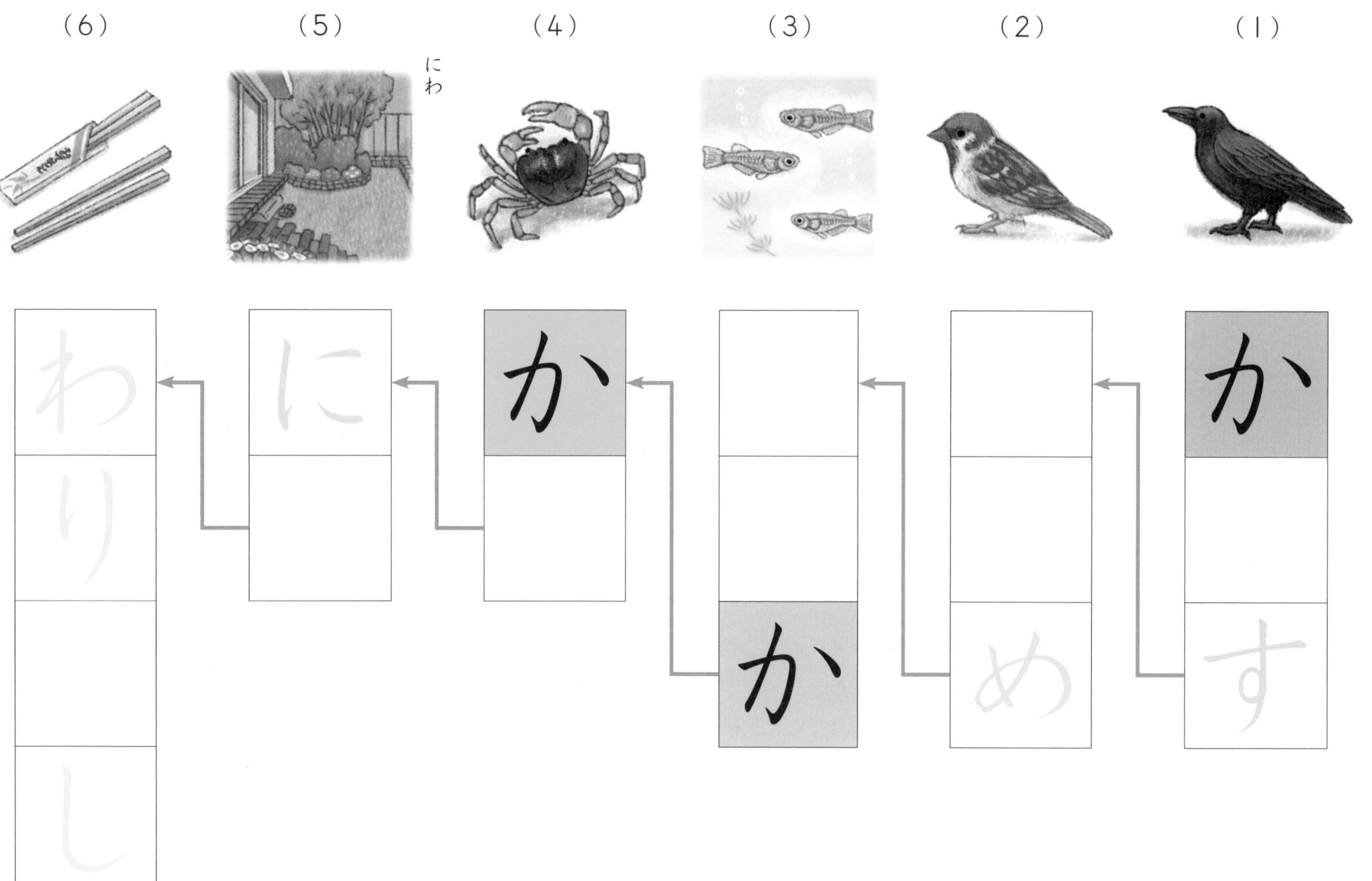

37 「か」と「が」の れんしゅう

がつ
にち
なまえ

おうちのかたへ
ひらがなを書きながら(なぞりながら)、ことばを声に出して読みましょう。書いてから、ことば全体を読んだり、1枚がおわったところで、おうちのかたのあとに続けてリズムよく読んだりしてもよいでしょう。読む力が書く力の土台になりますので、声に出して読むことを続けていきましょう。

ことばを よみましょう。ひらがなを かきましょう。(なぞりましょう。)

か

かさ

かお

か か か

お

が

がようし

☆「が」は「か」にてんてんよ」などと教えてあげましょう。

が が が

めがね

め ね

えを みて、ひらがなを かきましょう。（なぞりましょう。）
こえに だして ことばを よみましょう。

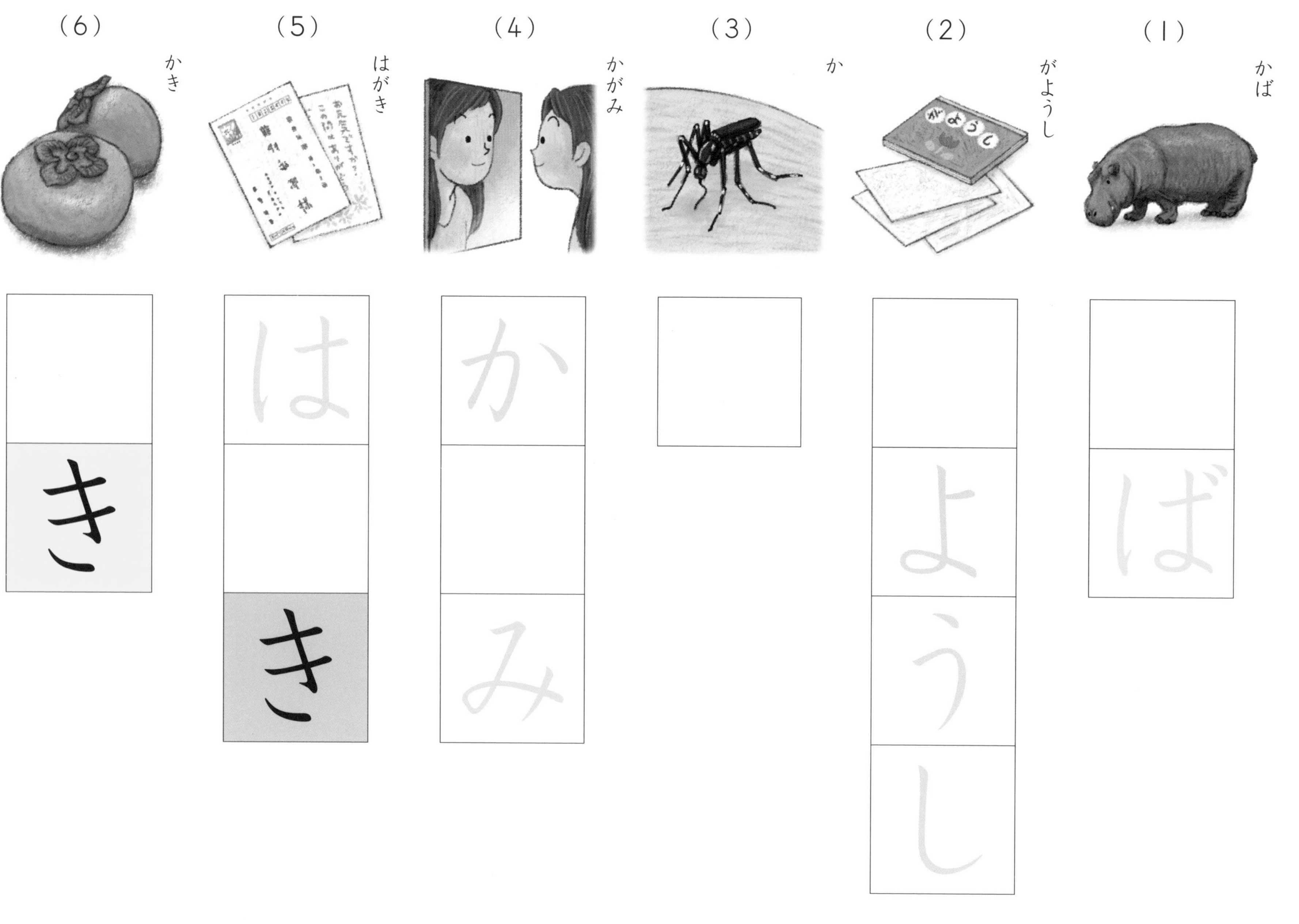

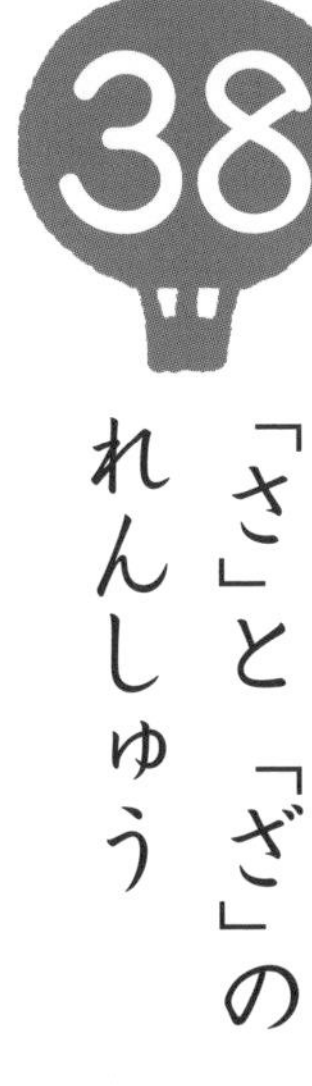

「さ」と「ざ」の れんしゅう

がつ

にち

なまえ

おうちのかたへ

自力でひらがなを書こうとすると、鏡文字になってしまうという声がよく聞かれますが、幼児にはよくあることで、一時的なことですから、あまり気にする必要はありません。無理に書き直させてやる気をそがないよう、「形がちがうみたいだね」と声をかけ、次に書くときにはなるべく自分で気づけるよう、うながしてあげましょう。

ことばを よみましょう。ひらがなを かきましょう。（なぞりましょう。）

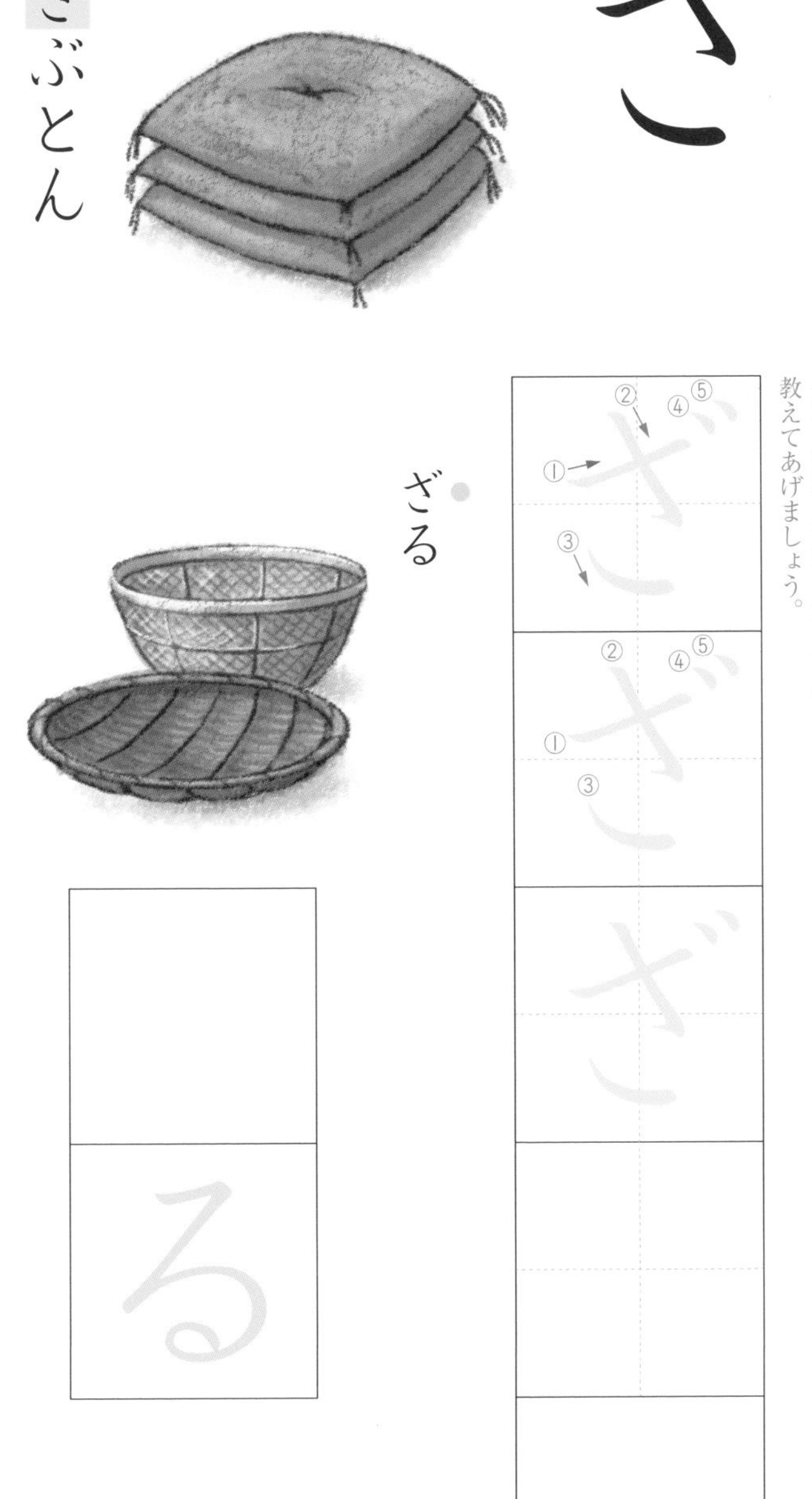

☆「『ざ』は『さ』にてんてんよ」などと教えてあげましょう。

えを みて、ひらがなを かきましょう。（なぞりましょう。）
こえに だして ことばを よみましょう。

（1）（2）（3）（4）（5）（6）

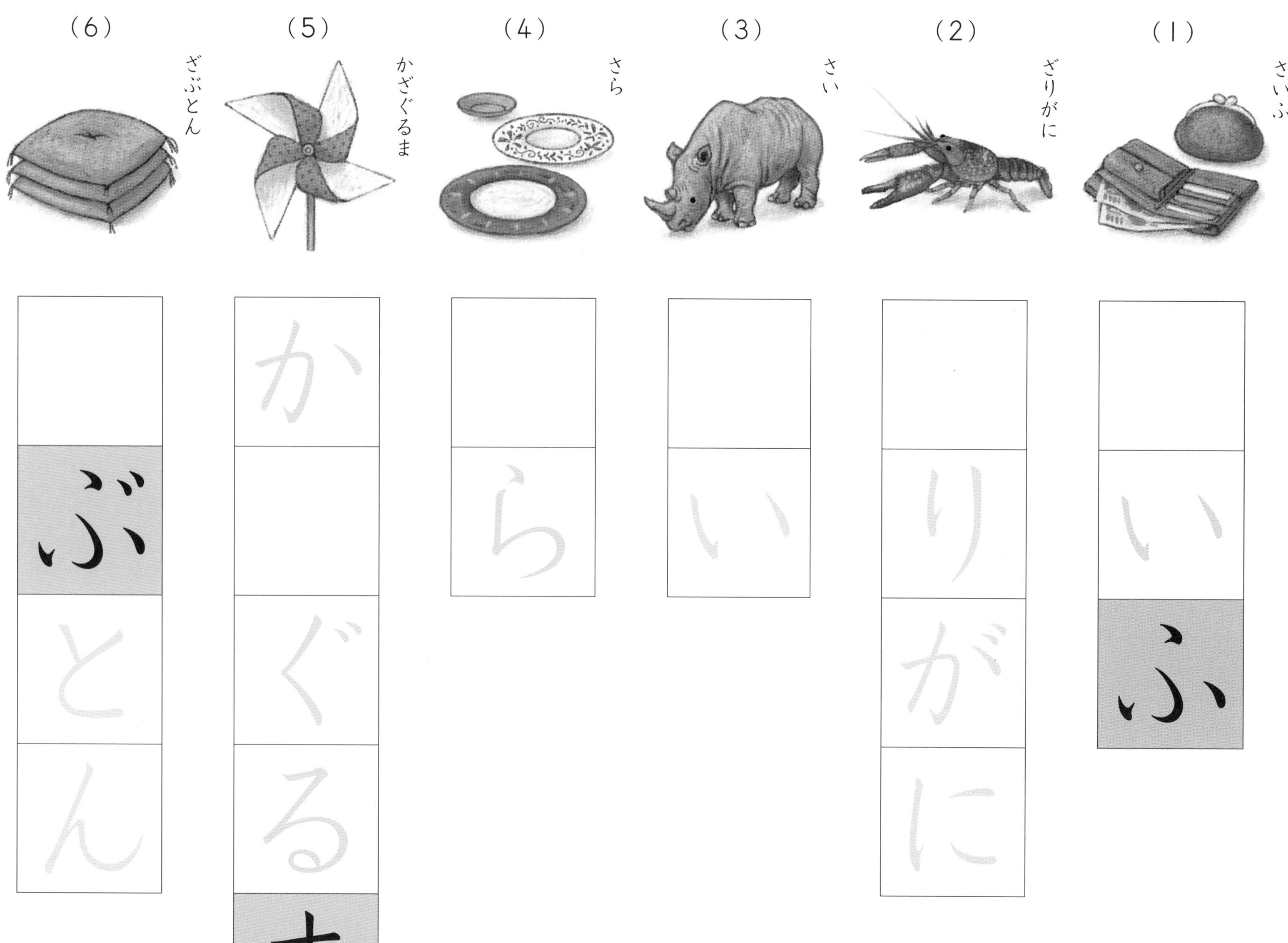

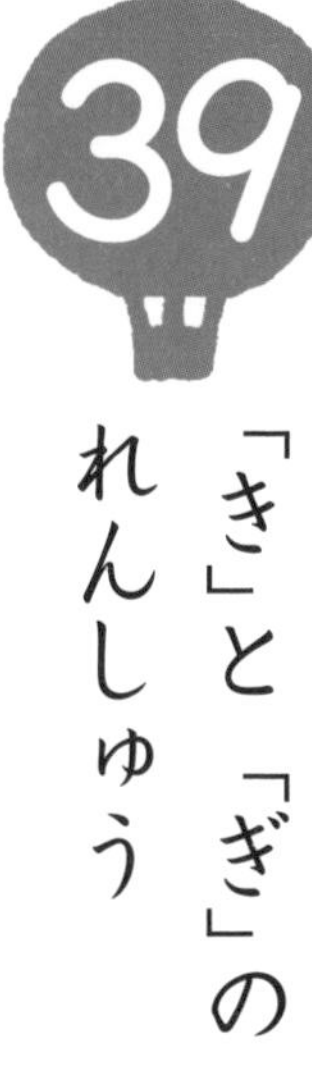

39 「き」と「ぎ」の れんしゅう

がつ　にち　なまえ

おうちのかたへ
「さ」と「き」は形がよく似ていますので、『さ』は横棒が1本、『き』は2本だね」と声をかけてあげてもよいでしょう。書けたら、ことばを声に出して読みましょう。

ことばを よみましょう。ひらがなを かきましょう。(なぞりましょう。)

き

きつね

きりん

ぎ

ぎんこう

かぎ

☆「『ぎ』は『き』にてんてんよ」などと教えてあげましょう。

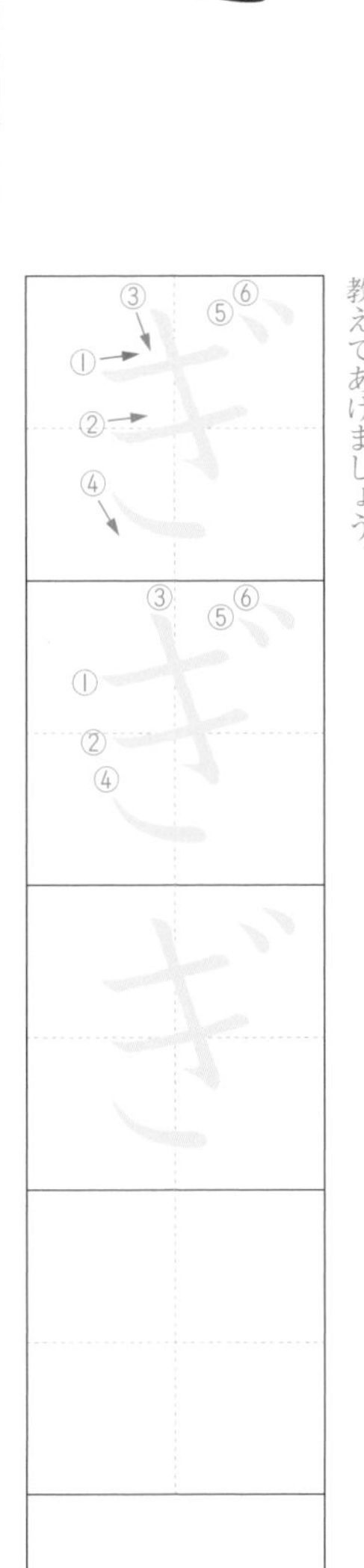

えを みて、ひらがなを かきましょう。（なぞりましょう。）
こえに だして ことばを よみましょう。

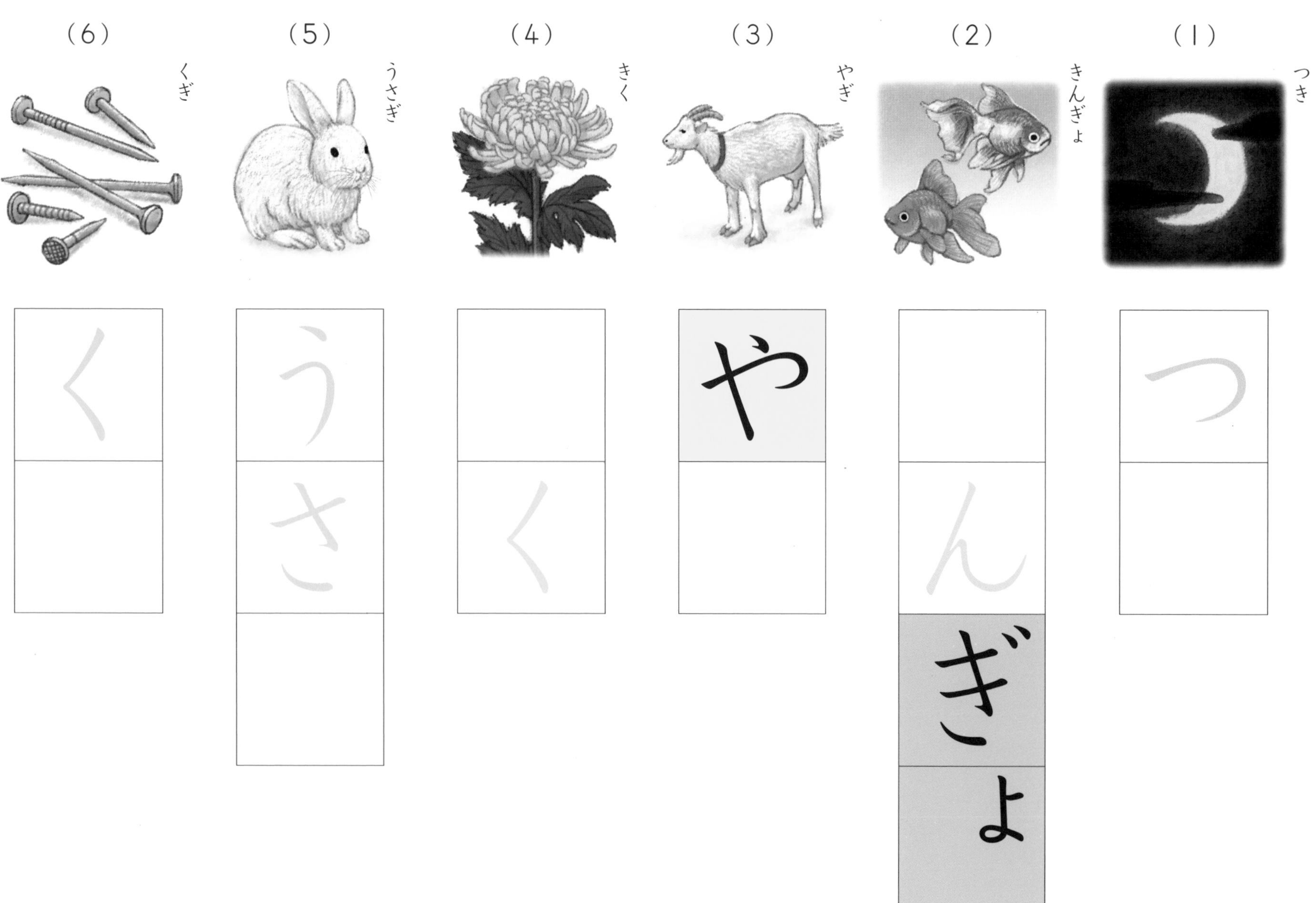

40 「か・が・さ・ざ・き・ぎ」の まとめ

がつ　にち　なまえ

おうちのかたへ

「か」から「ぎ」までのまとめです。なぞる部分がふえてきていますので、１枚あたりの書く量もふえています。お子さまにとって、学習した字を思い出しながら、１枚を完成させるのはたいへんなことです。「ていねいになぞれたね」「『さ』が書けるようになったね」など、お子さまのよいところを見つけて、おおいにほめてあげましょう。

えを　みて、ひらがなを　かきましょう。（なぞりましょう。）
こえに　だして　ことばを　よみましょう。

（１）□さ

（２）□つね

（３）か□

（４）□つまいも

（５）は□き

（６）□りがに

えを　みて、ひらがなを　かきましょう。（なぞりましょう。）
こえに　だして　ことばを　よみましょう。

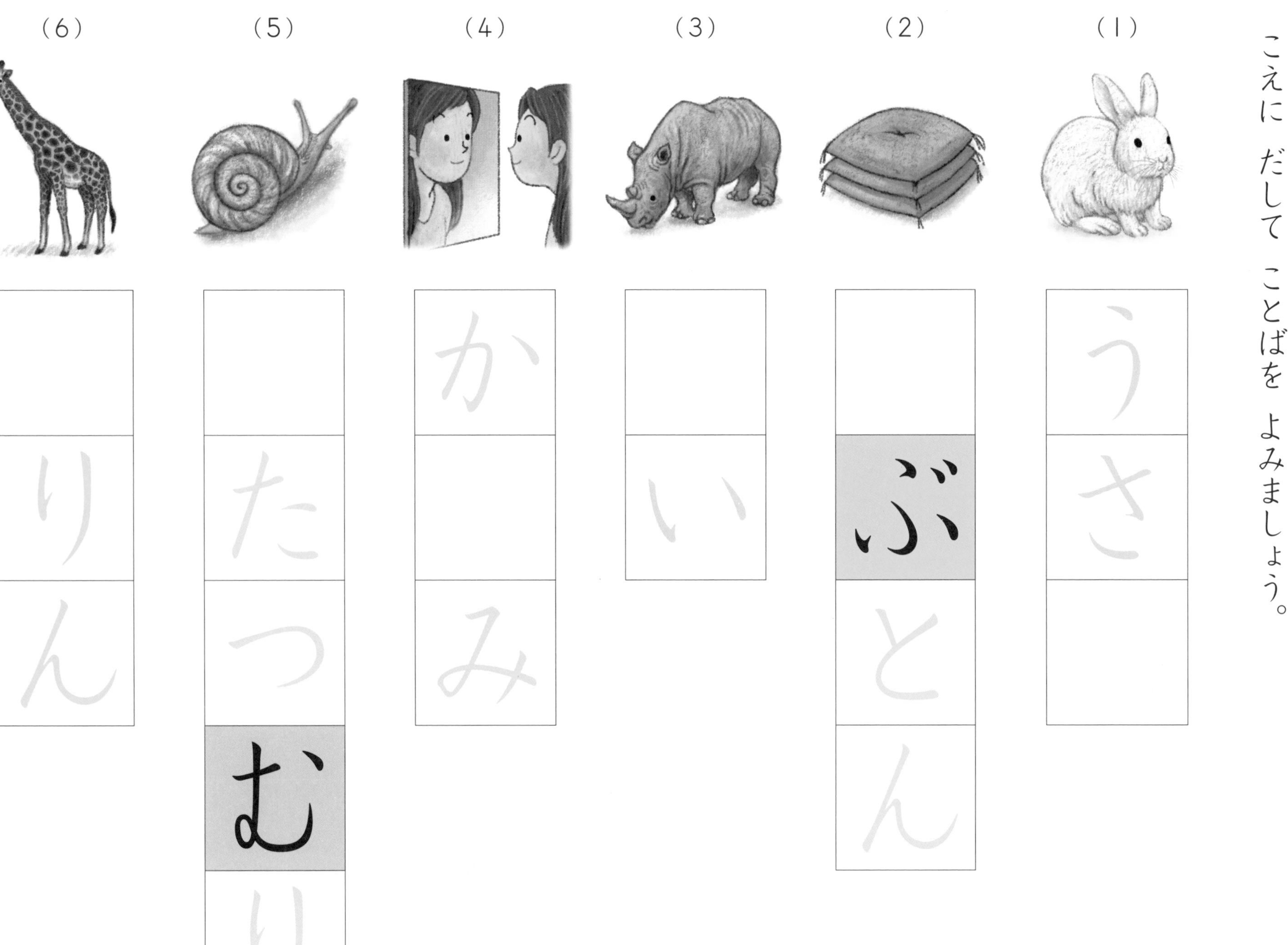

41 「せ」と「ぜ」の れんしゅう

がつ　にち　なまえ

おうちのかたへ
「ぜ」からはじまることばとして「ぜんまい」をのせています。耳なれないことばかもしれませんが、絵を見ながら「ここを巻くと、おもちゃが動くんだよ」と教えてあげてください。「かぜ」はおもて面は「風」、うら面は「風邪」の絵を入れています。「同じ『かぜ』だけど、ちがうことばだね」と教えてあげましょう。

ことばを よみましょう。ひらがなを かきましょう。（なぞりましょう。）

せ

せみ

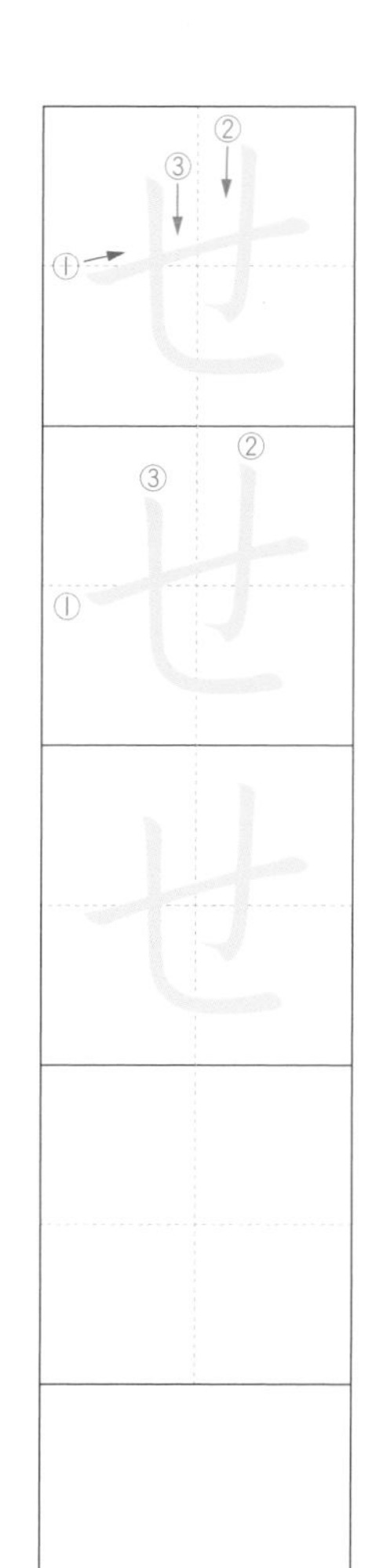

☆書き順に気をつけましょう。

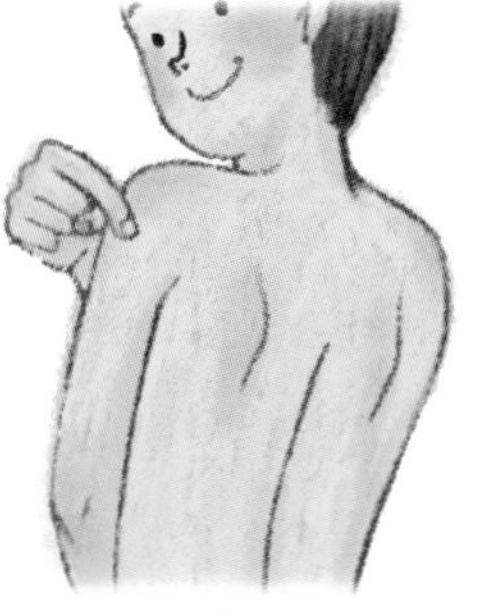

せなか

な
か

ぜ

ぜんまい

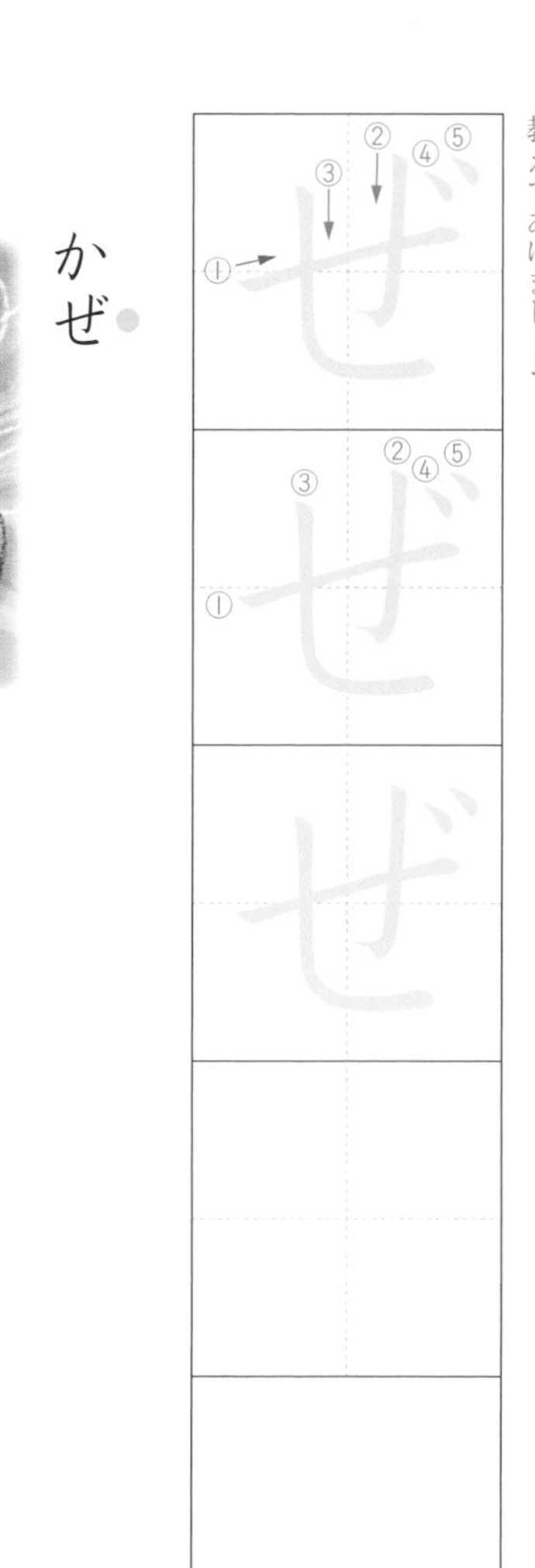

☆「『ぜ』は『せ』にてんてんよ」などと教えてあげましょう。

かぜ

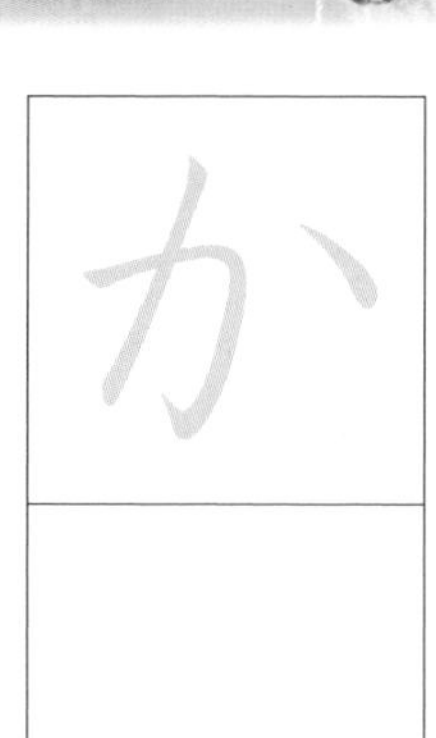

えを みて、ひらがなを かきましょう。(なぞりましょう。)
こえに だして ことばを よみましょう。

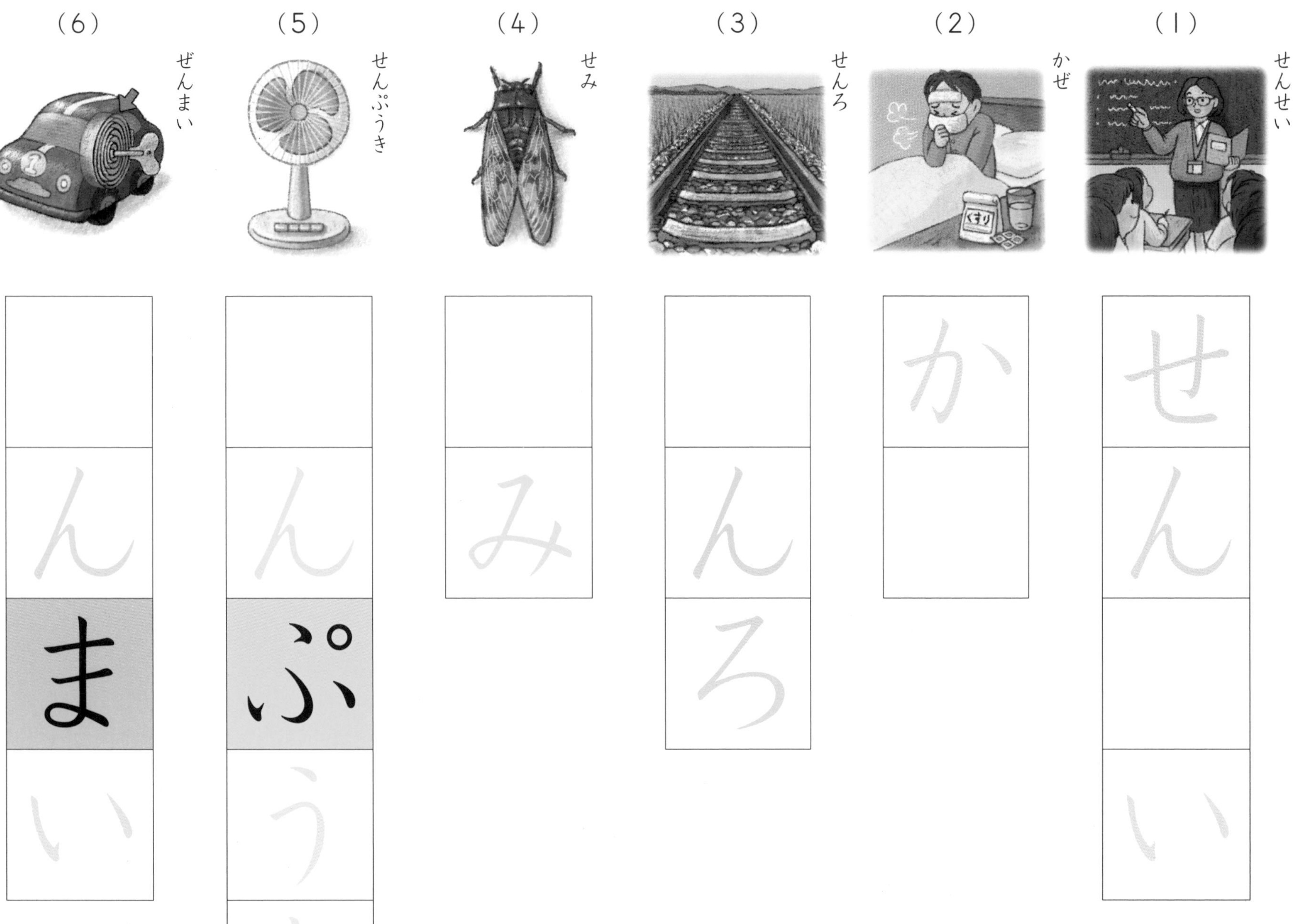

42 「お」と「ま」の れんしゅう

がつ
にち
なまえ

おうちのかたへ
お子さまは、マスのなかにひらがなを大きく書けているでしょうか。文字が小さくなってしまうと、形を整えることも難しくなりますので、「大きく、ゆっくり書こうね」と声をかけてあげてください。

ことばを よみましょう。ひらがなを かきましょう。（なぞりましょう。）

☆点をうつ場所に気をつけましょう。

お

おもちゃ

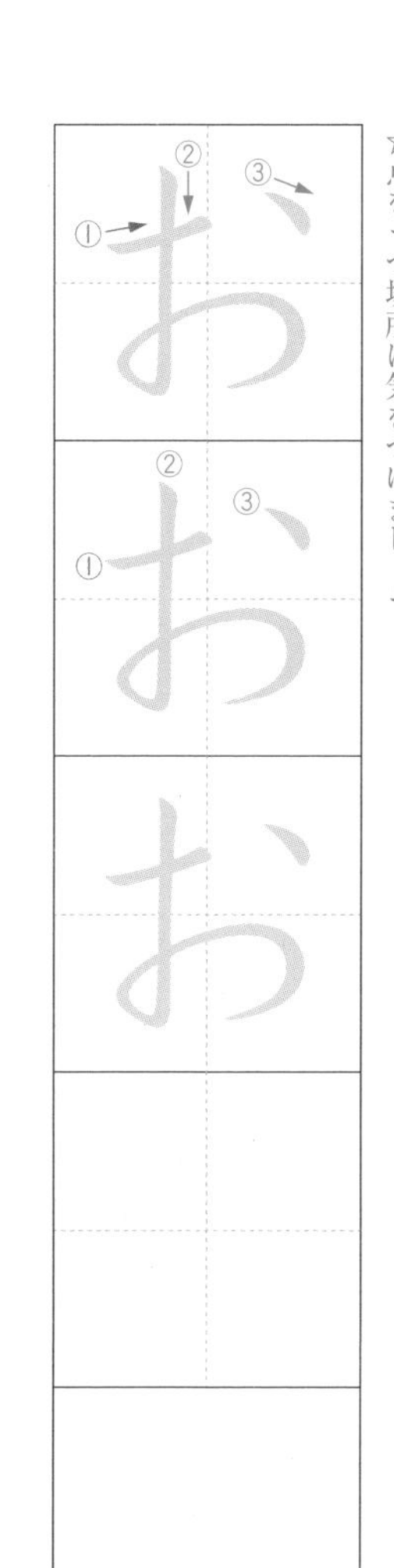

おに

ま

まど

まり

えを みて、ひらがなを かきましょう。（なぞりましょう。）
こえに だして ことばを よみましょう。

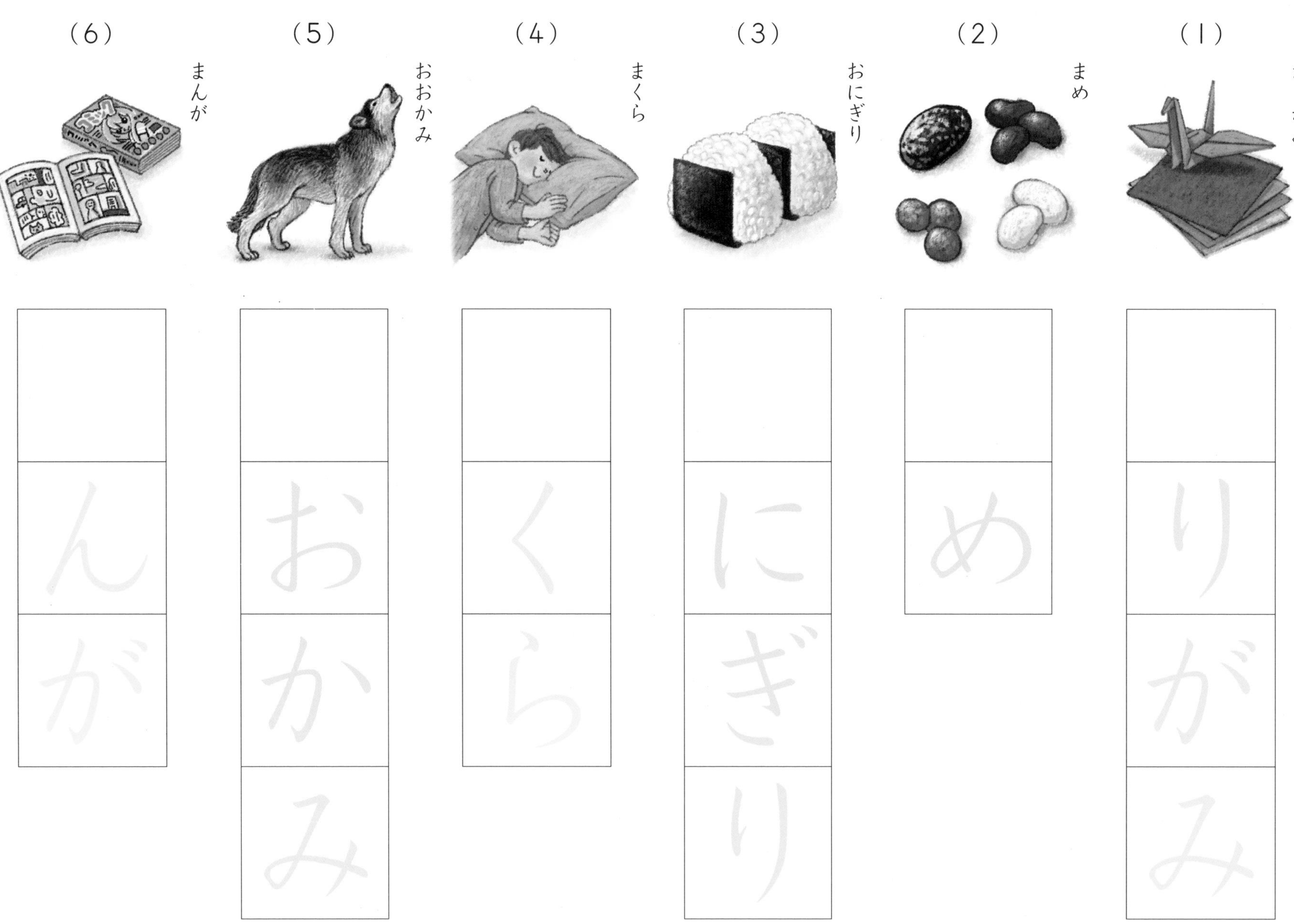

43

「ほ」と「ぼ」と「ぽ」の れんしゅう

おうちのかたへ

「ほ」は4画目をつきぬけて書いてしまうことが多いので、「上がとび出さないようにしようね」と声をかけてあげてください。「ぼうし」「ほうき」など、のばす音のことばが多く出てきますので、のばす音に気をつけながら、ことば全体を声に出して読みましょう。

ことばを よみましょう。ひらがなを かきましょう。（なぞりましょう。）

ほ

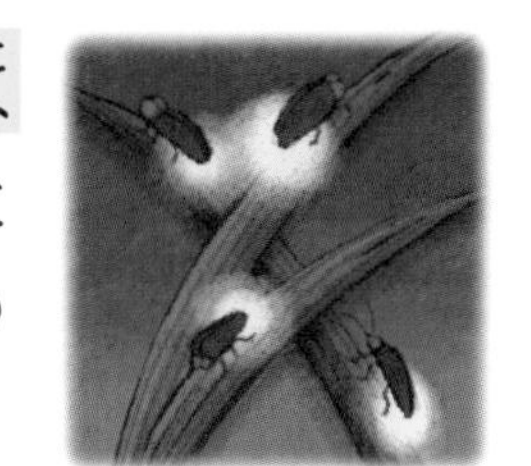

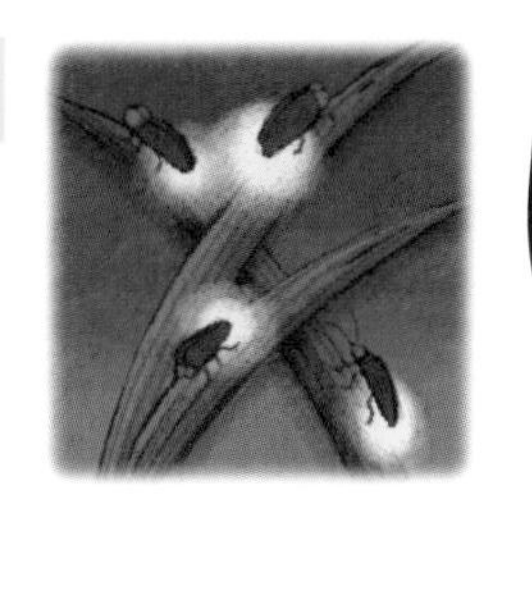

ほたる

ぼ

ぼうし

ぽ

たんぽぽ

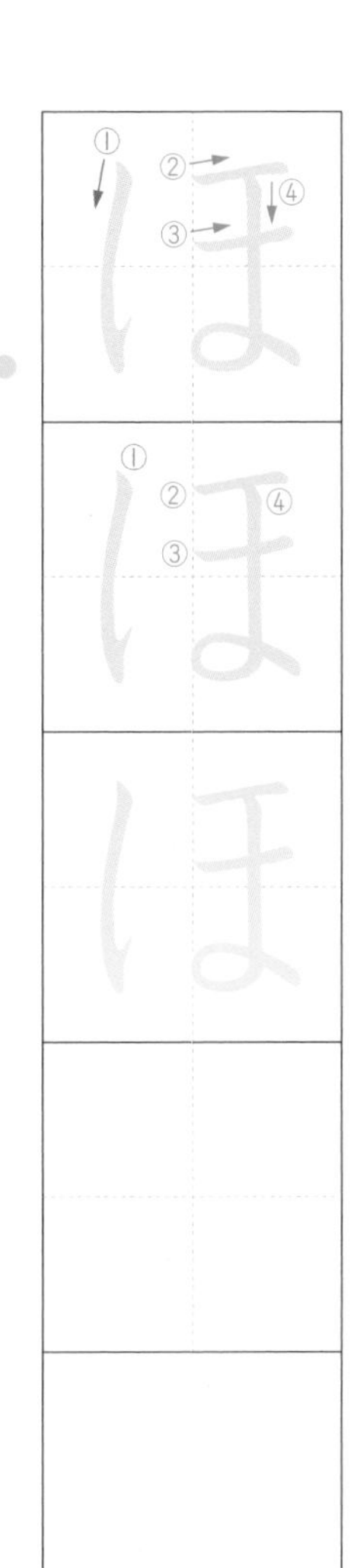

ほし

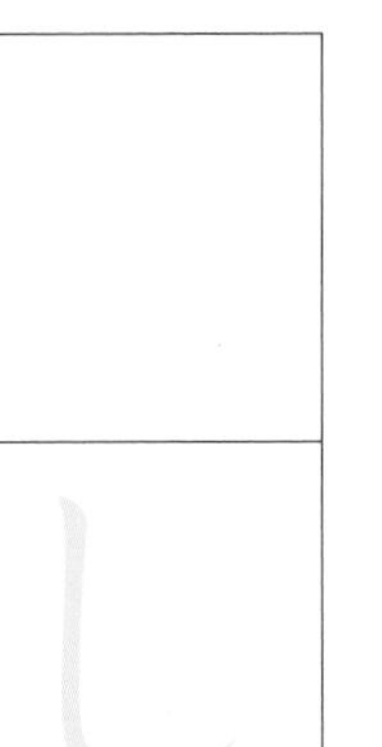

☆「『ぼ』は『ほ』にてんてんよ」などと教えてあげましょう。

☆「『ぽ』は『ほ』にまるよ」などと教えてあげましょう。

えを みて、ひらがなを かきましょう。（なぞりましょう。）
こえに だして ことばを よみましょう。

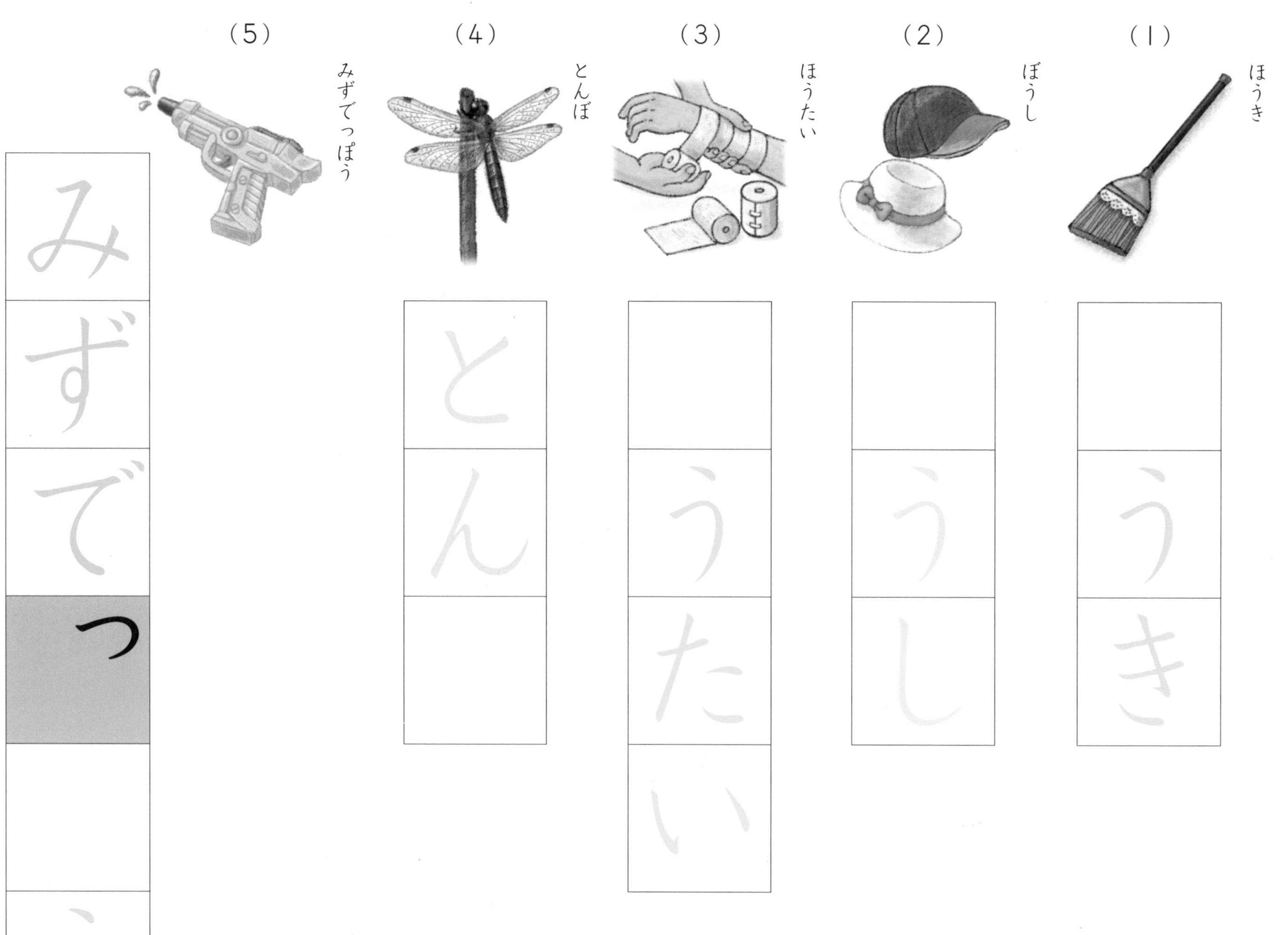

44 「せ・ぜ・お・ま・ほ・ぼ・ぽ」の まとめ

がつ　にち　なまえ

おうちのかたへ
「せ」から「ぽ」までのまとめです。まとめのページは、テストではありませんので、お子さまが白いマスをうめるときに、ことばのなかの同じひらがなを見て書いていても、気にする必要はありません。同じ文字を見つけて、見て写して書くということも、十分にお子さまの力がついていなければできないことです。

えを　みて、ひらがなを　かきましょう。（なぞりましょう。）
こえに　だして　ことばを　よみましょう。

（1）□み

（2）□うし

（3）□うたい

（4）□んが

（5）□おかみ

（6）か□

えを みて、ひらがなを かきましょう。(なぞりましょう。)
こえに だして ことばを よみましょう。

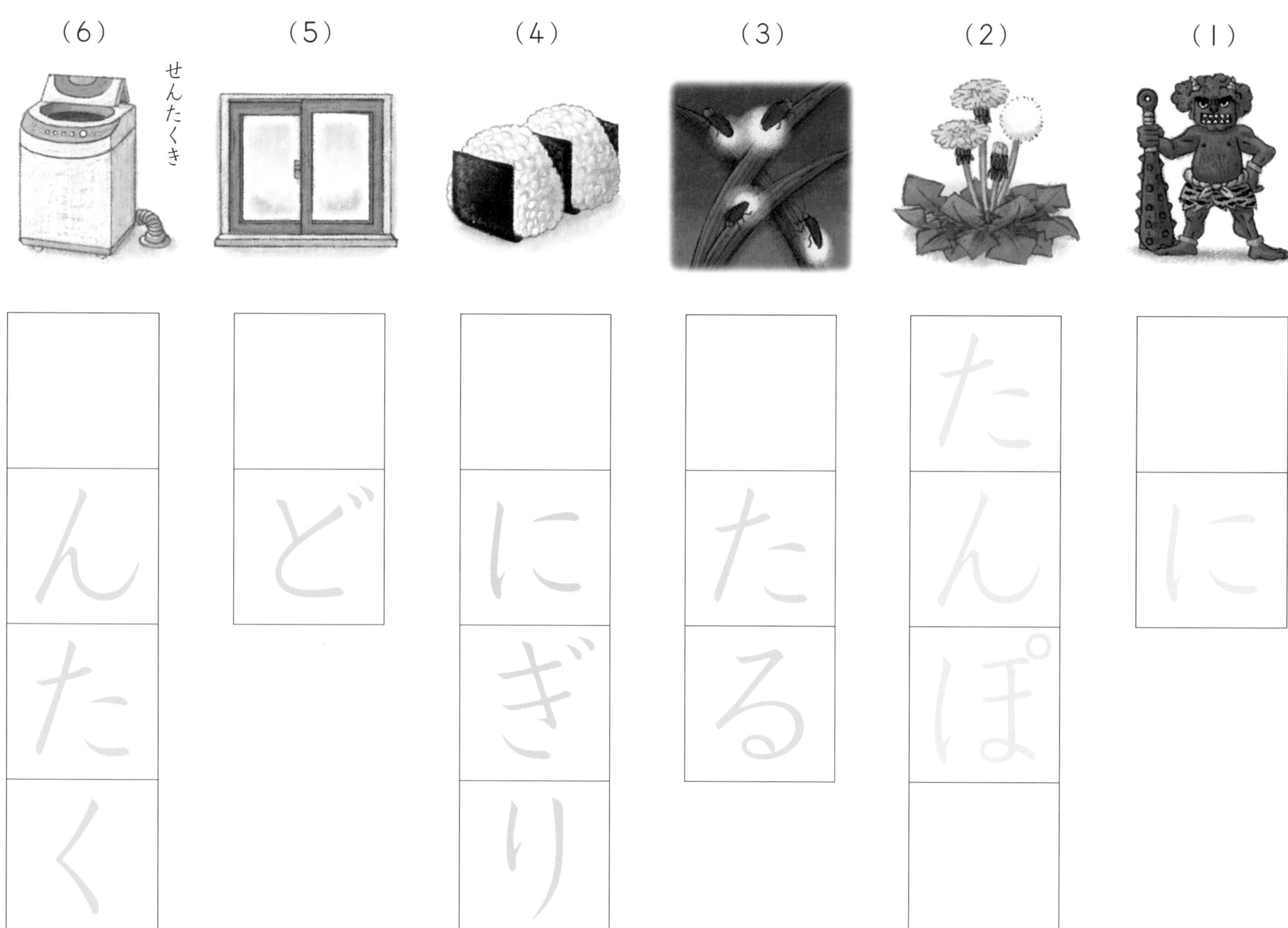

(1) □に
(2) たんぽ□
(3) □たる
(4) □にぎり
(5) □ど
(6) □んたくき

45 「や」の れんしゅう

がつ にち なまえ

おうちのかたへ
ここからは、とくに形のとらえにくいひらがなが出てきますので、書く回数をふやしています。「や」は書き順を覚えにくいひらがなです。「①②③の順に、ゆっくり書こうね」と声をかけてあげてください。

ことばを よみましょう。ひらがなを かきましょう。(なぞりましょう。)

☆書き順に気をつけましょう。

えを みて、ひらがなを かきましょう。（なぞりましょう。）
こえに だして ことばを よみましょう。

（1） やきそば

□きそば

（2） やどかり

□どかり

（3） やま

□ま

（4） あやとり

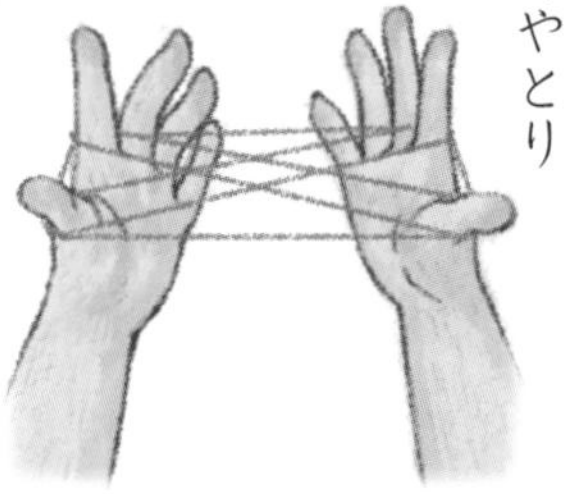

あ□とり

（5） やね

□ね

（6） おやゆび

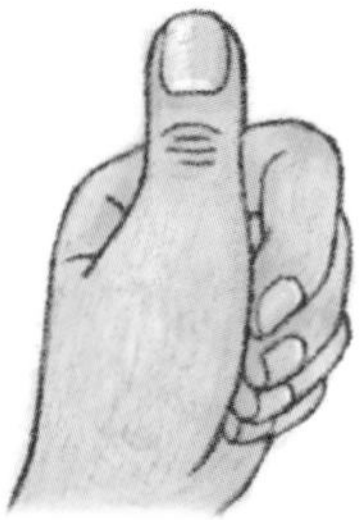

お□ゆび

46 「あ」の れんしゅう

がつ にち なまえ

おうちのかたへ
「あ」もとくに形をとらえにくいひらがなです。青い十字の点線を手がかりにして、ゆっくりと書きましょう。最初は形が整っていなくても、じょじょにじょうずになっていけばよいでしょう。「あめ」は、おもて面は「雨」、うら面は「飴」の絵になっています。「同じ『あめ』でもちがうことばだね」と声をかけてあげてください。

ことばを よみましょう。ひらがなを かきましょう。(なぞりましょう。)

あ

あひる

☆青い点線をよく見て、書き出しの場所に気をつけましょう。

あ あ あ

あし

あめ

あり

あたま

し め り たま

えを みて、ひらがなを かきましょう。(なぞりましょう。)
こえに だして ことばを よみましょう。

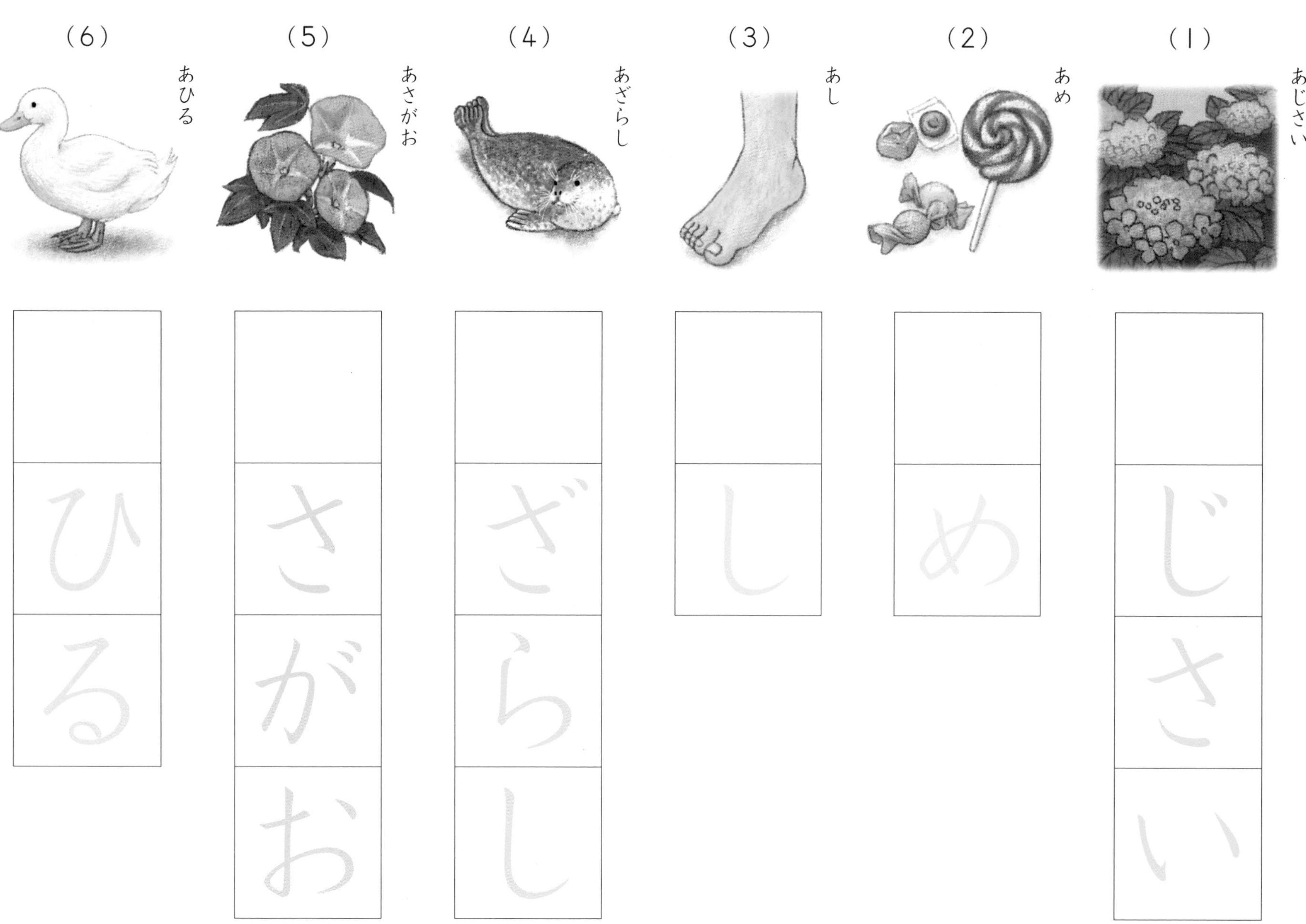

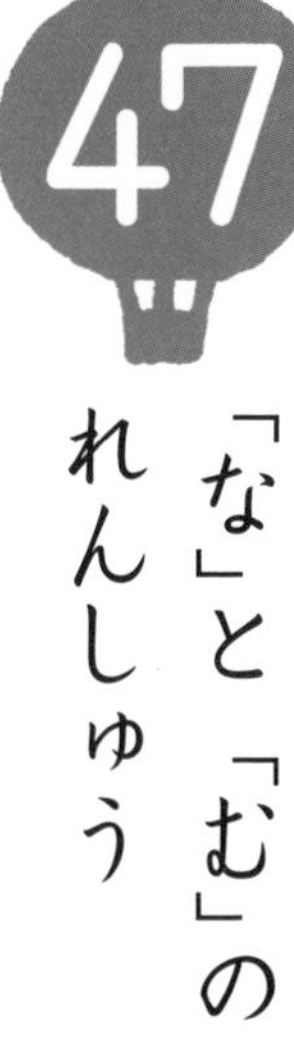

「な」と「む」の れんしゅう

がつ

にち

なまえ

おうちのかたへ

形を整えることが難しいひらがなです。小さくまるめるところに気をつけて、ゆっくり落ち着いて書きましょう。練習が足りないときは、一度なぞったところを、色のちがう色鉛筆でもう一度なぞってみてもよいでしょう。

ことばを よみましょう。ひらがなを かきましょう。（なぞりましょう。）

な

なし

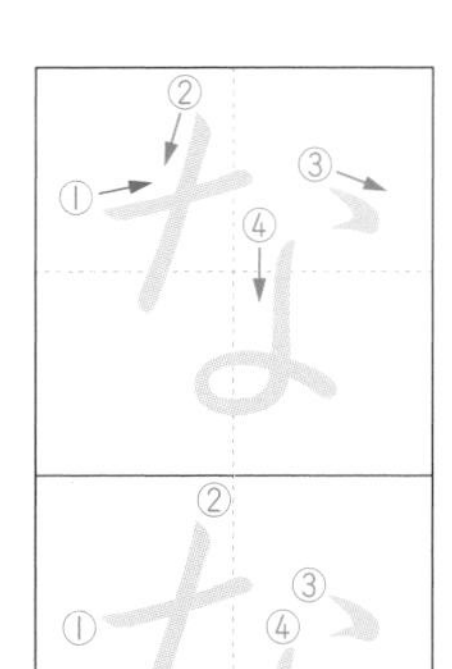

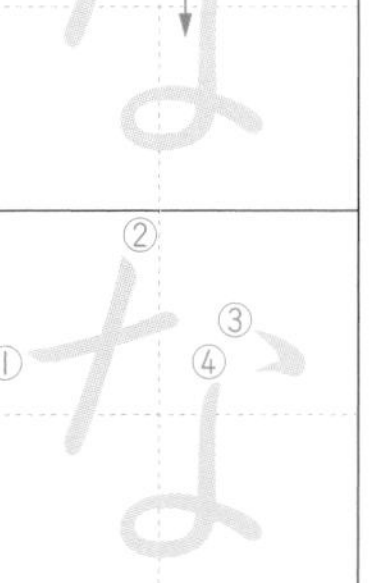

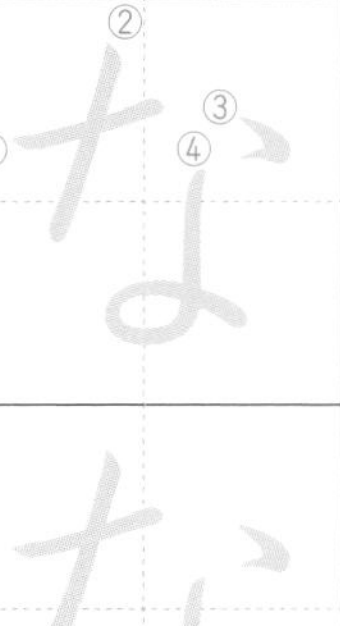

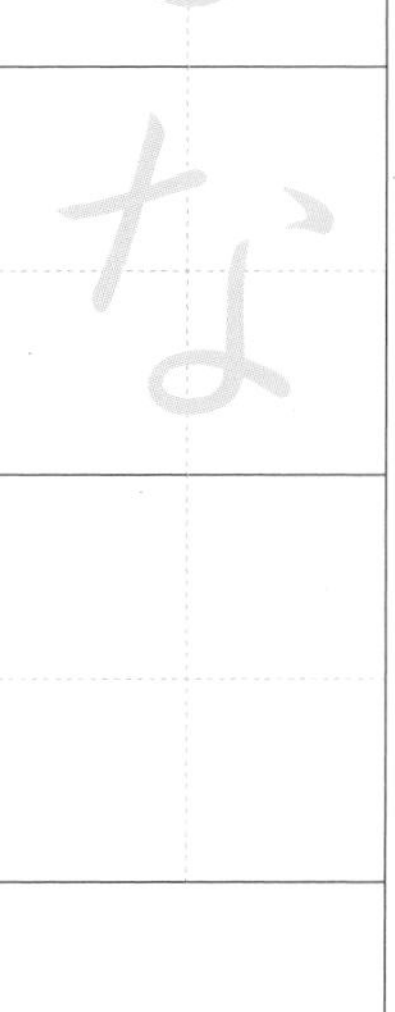

・なみだ

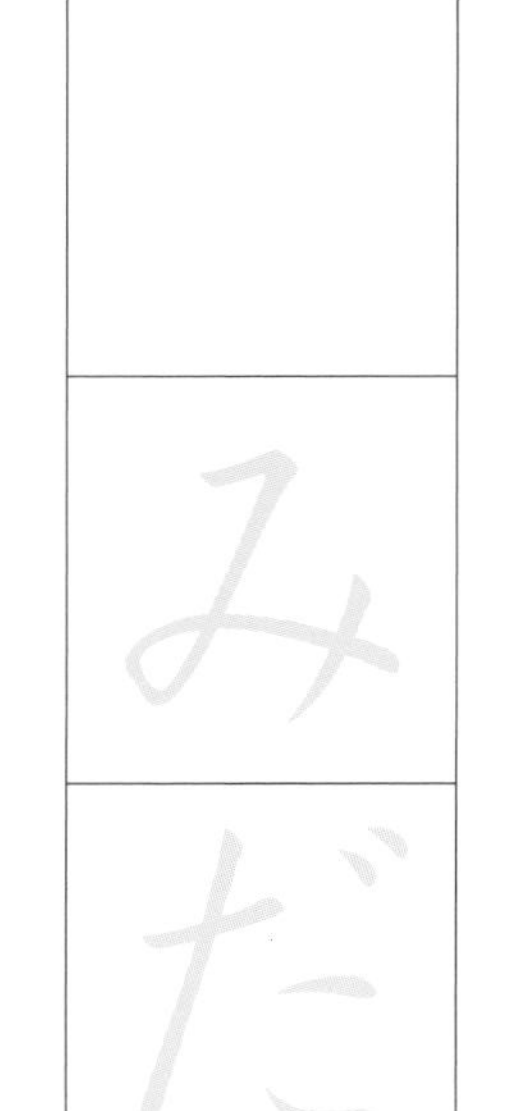

む

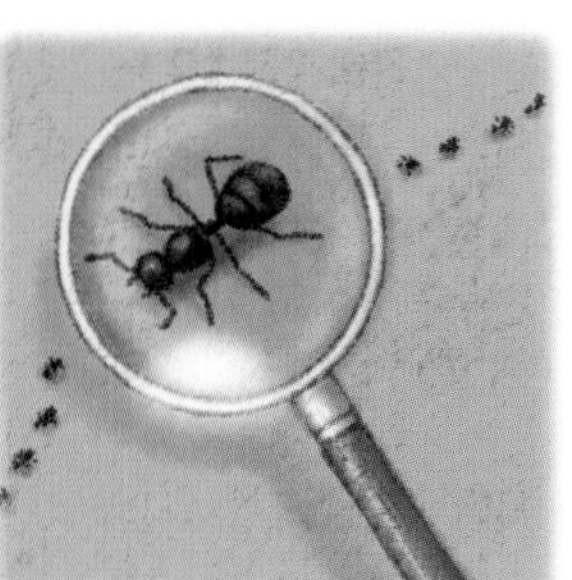

むしめがね

・むしば

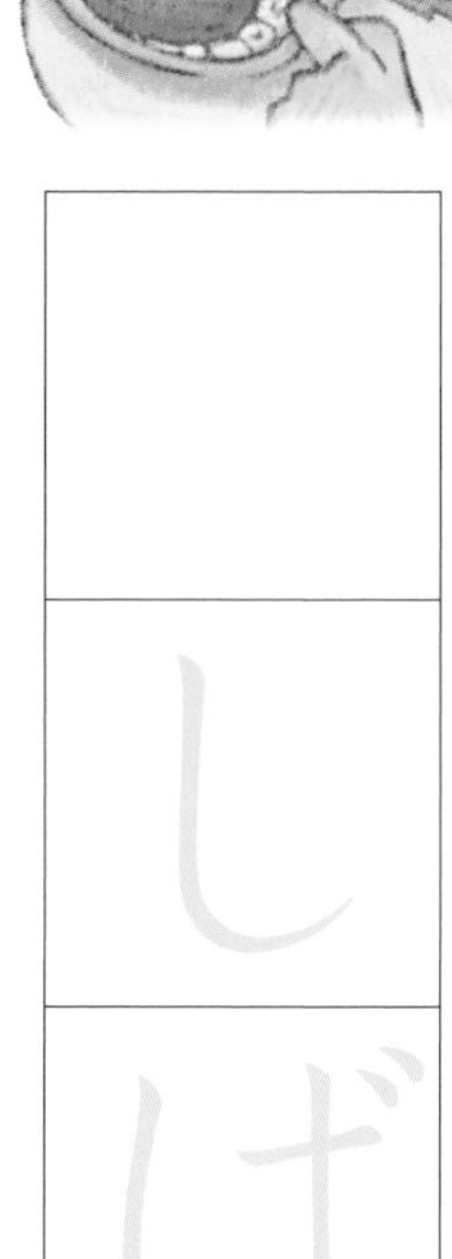

えを　みて、ひらがなを　かきましょう。（なぞりましょう。）
こえに　だして　ことばを　よみましょう。

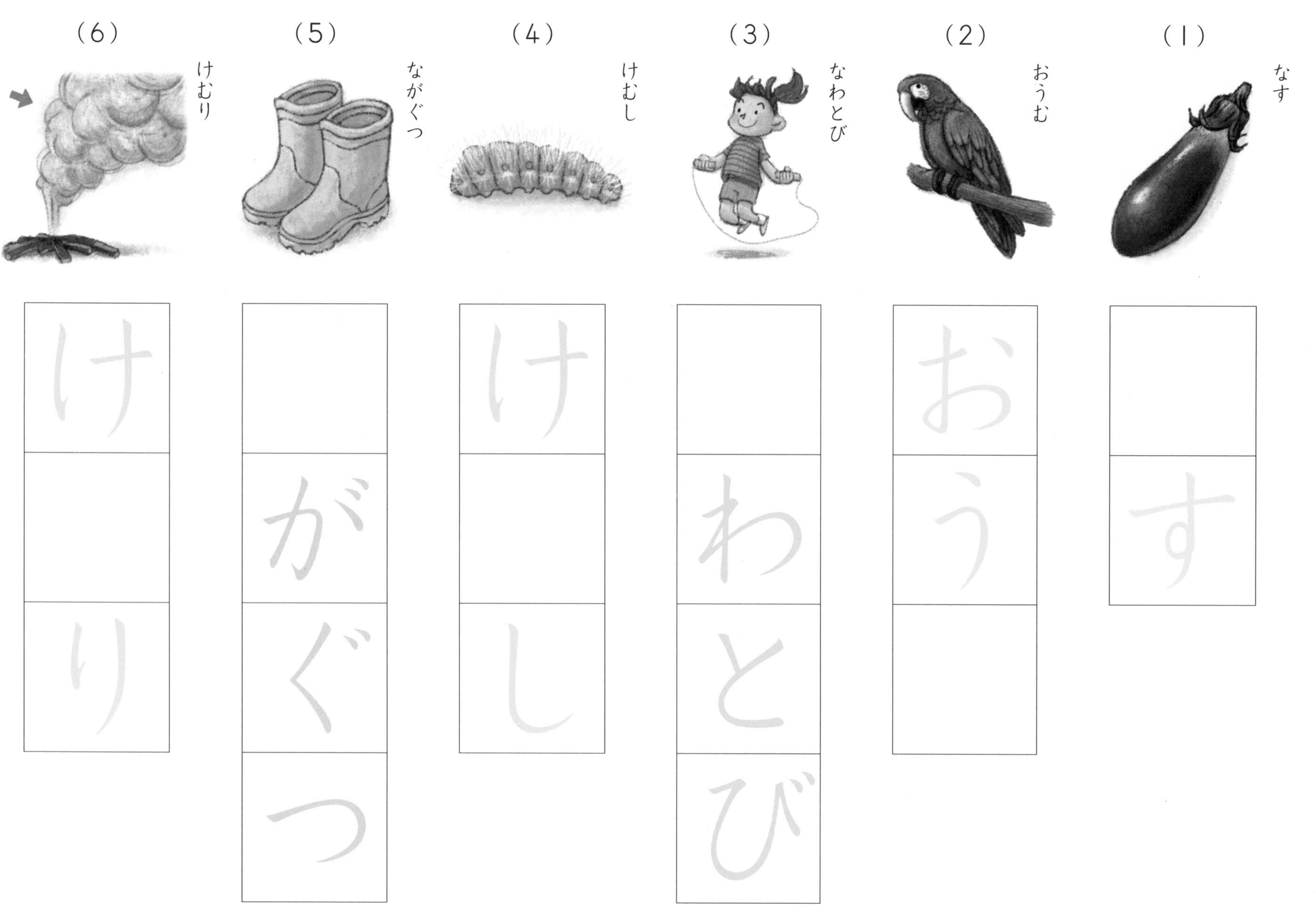

48 「や・あ・な・む」の まとめ

がつ　にち　なまえ

おうちのかたへ
「や」から「む」のまとめです。とくに形のとらえにくいひらがなが多くなっていますので、難しい場合は、前に書いたページや巻末の「おけいこボード」を手元において、見ながら書くとよいでしょう。おうちのかたが横にお手本を書いてあげたり、先にうすく線を引いて、なぞり練習にしたりしてもよいでしょう。

えを みて、ひらがなを かきましょう。（なぞりましょう。）
こえに だして ことばを よみましょう。

（1） さがお

（2） し

（3） きそば

（4） しば

（5） ね

（6） たま

えを みて、ひらがなを かきましょう。（なぞりましょう。）
こえに だして ことばを よみましょう。

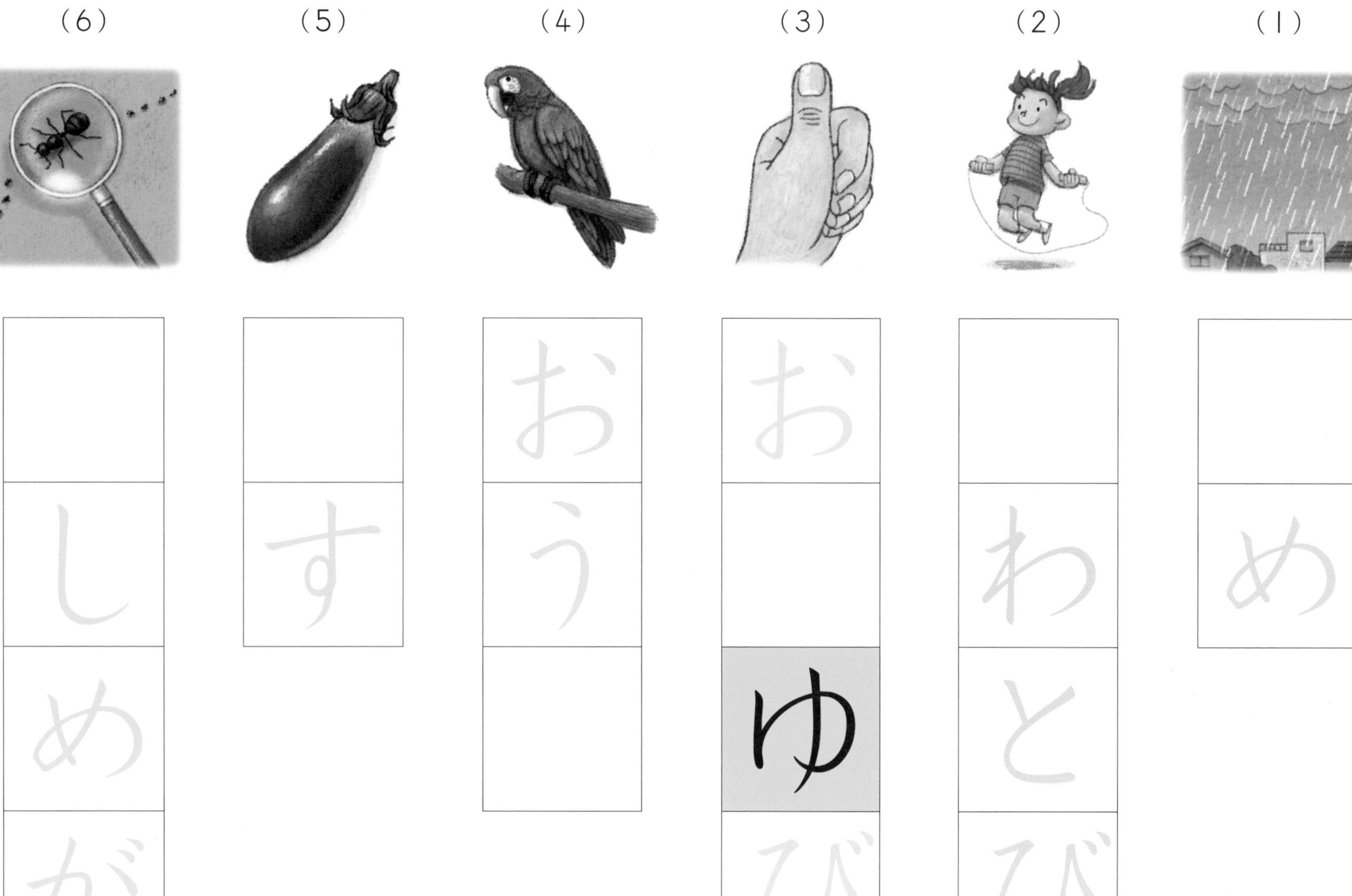

（1）□め

（2）□わとび

（3）お□ゆび

（4）おう□

（5）□す

（6）□しめがね

49

「ゆ」の れんしゅう

がつ にち なまえ

おうちのかたへ
形のバランスを整えるのが難しいひらがなです。「大きく、ゆっくり書こうね」と声をかけてあげてください。「ゆ」のつくいろいろなことばが出てきますので、声に出してことばを読みながら書きましょう。

ことばを よみましょう。ひらがなを かきましょう。（なぞりましょう。）

ゆ

ゆき

ゆゆゆ

ゆり
りa

ゆげ
げ

ゆびわ
びわ

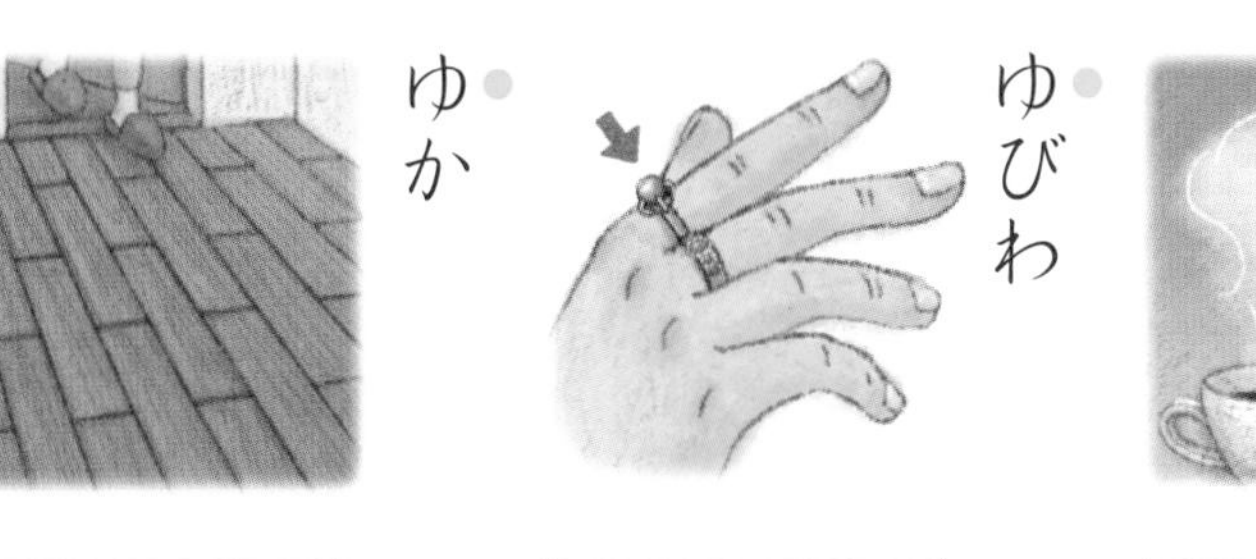

ゆか
か

えを みて、ひらがなを かきましょう。（なぞりましょう。）
こえに だして ことばを よみましょう。

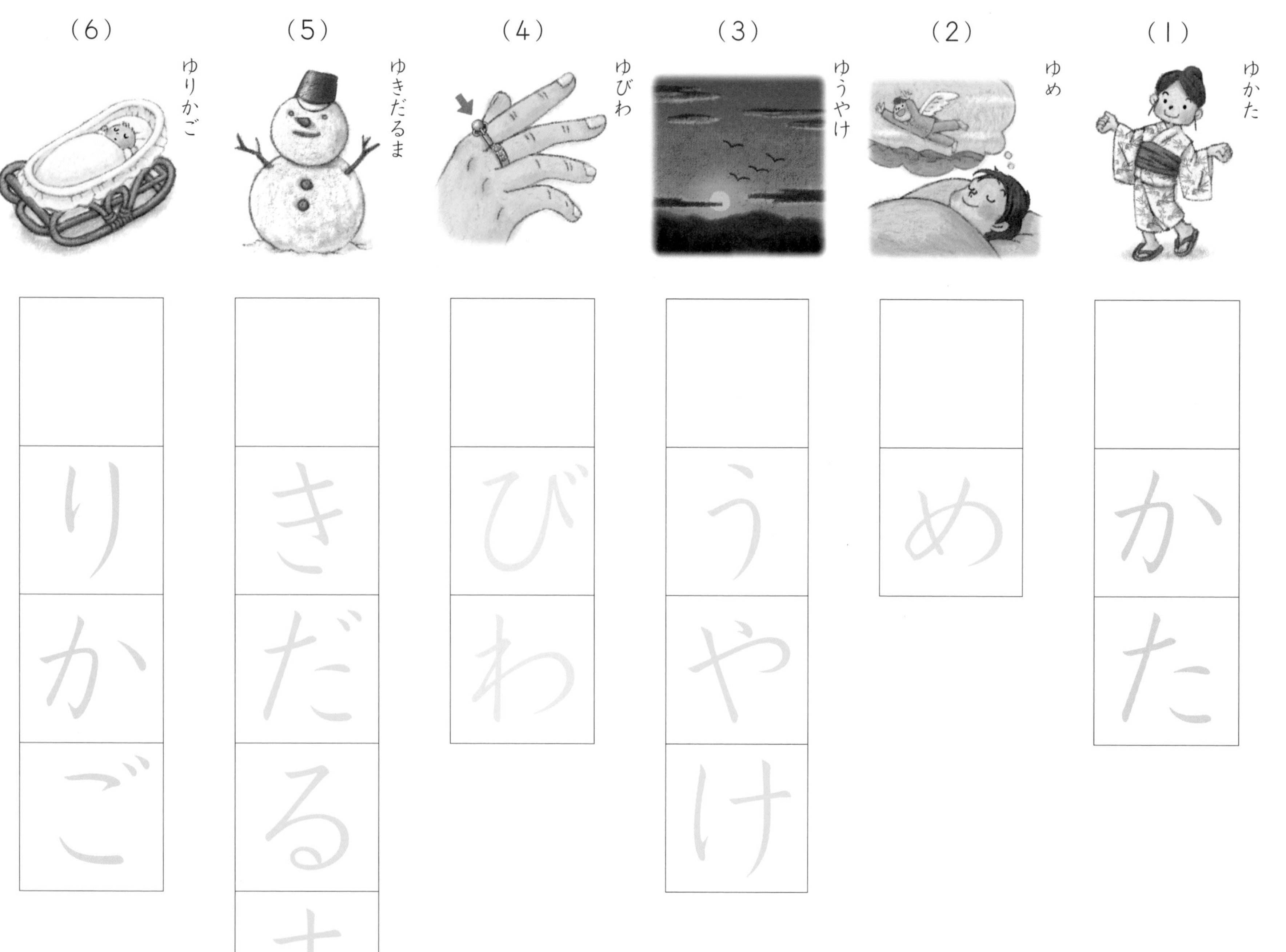

50 「ふ」と「ぶ」と「ぷ」の れんしゅう

がつ　にち　なまえ

おうちのかたへ
「ふ」は形、書き順ともとくに覚えにくいひらがなです。青い十字の点線を手がかりに、点を書く場所と順番に気をつけて書くように、声をかけてあげてください。

ことばを よみましょう。ひらがなを かきましょう。（なぞりましょう。）

ふ　ふうせん

ぶ　ぶどう

ぷ　てんぷら

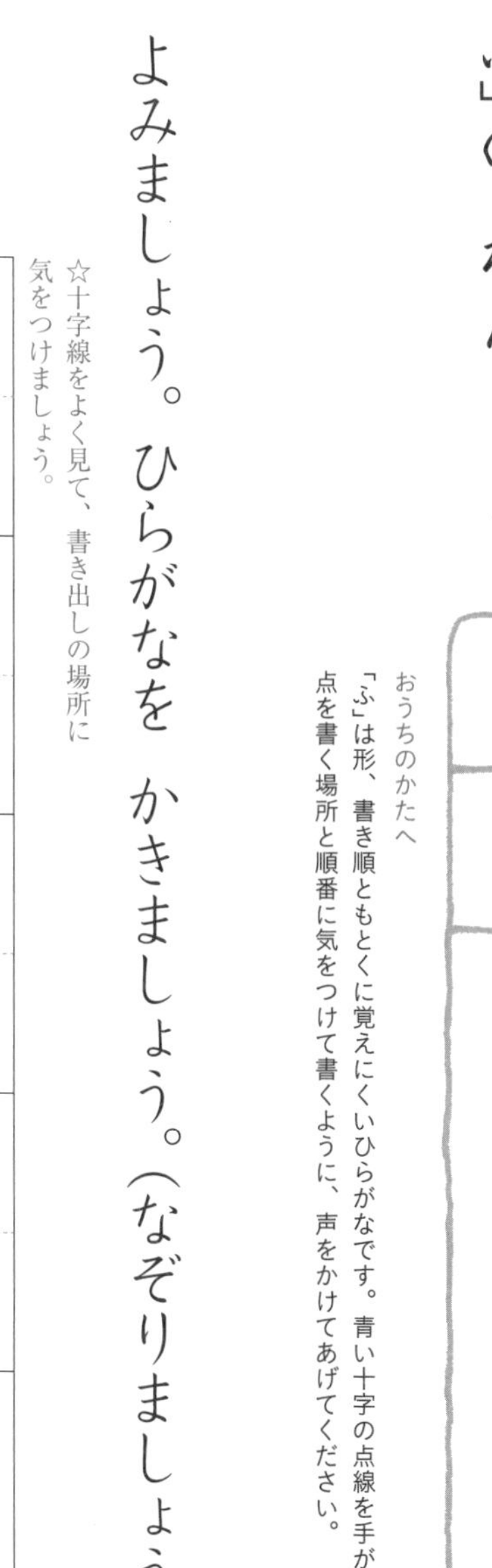

☆十字線をよく見て、書き出しの場所に気をつけましょう。

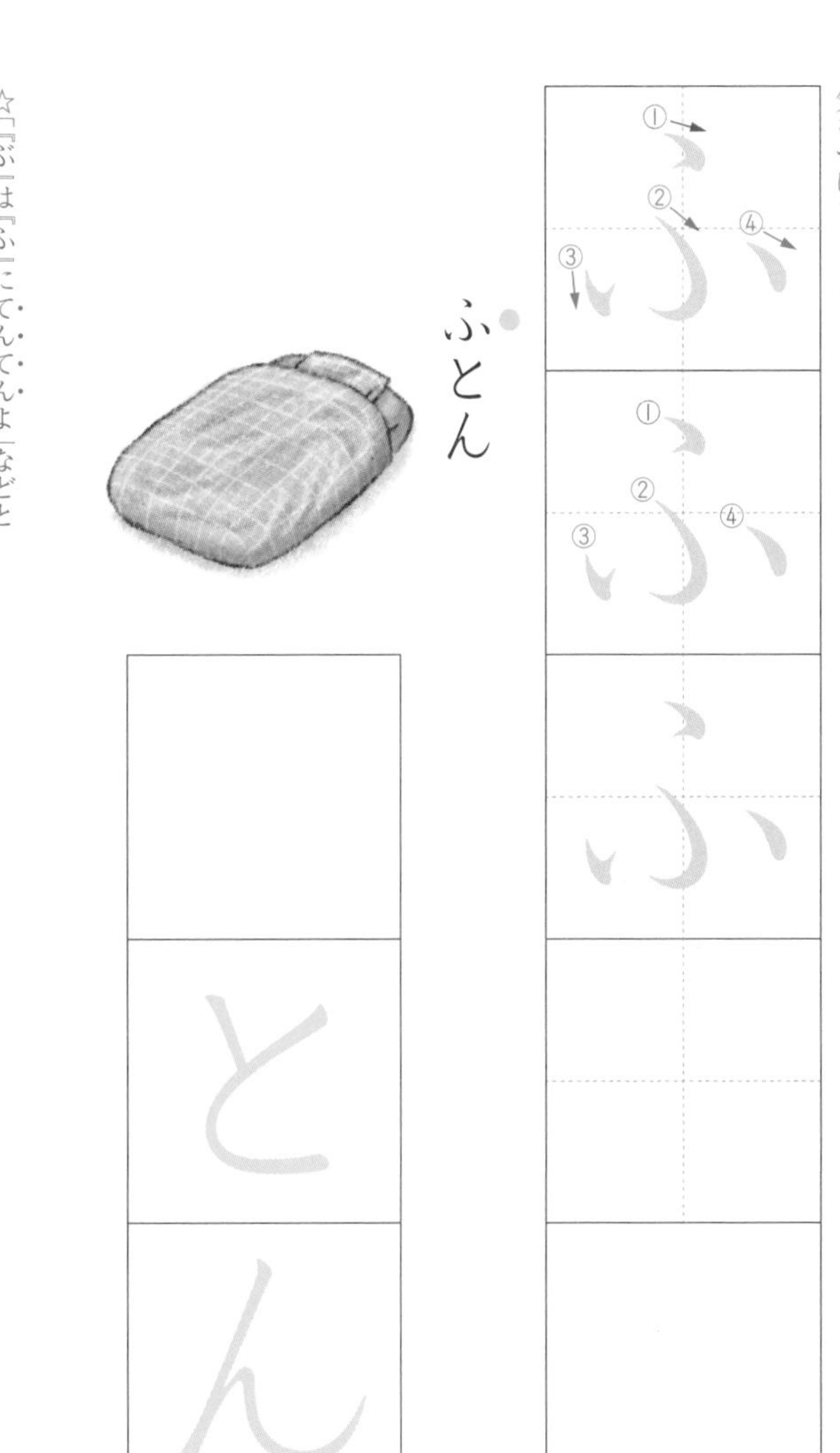

ふとん

☆「ぶ」は「ふ」にてんてんよ」などと教えてあげましょう。

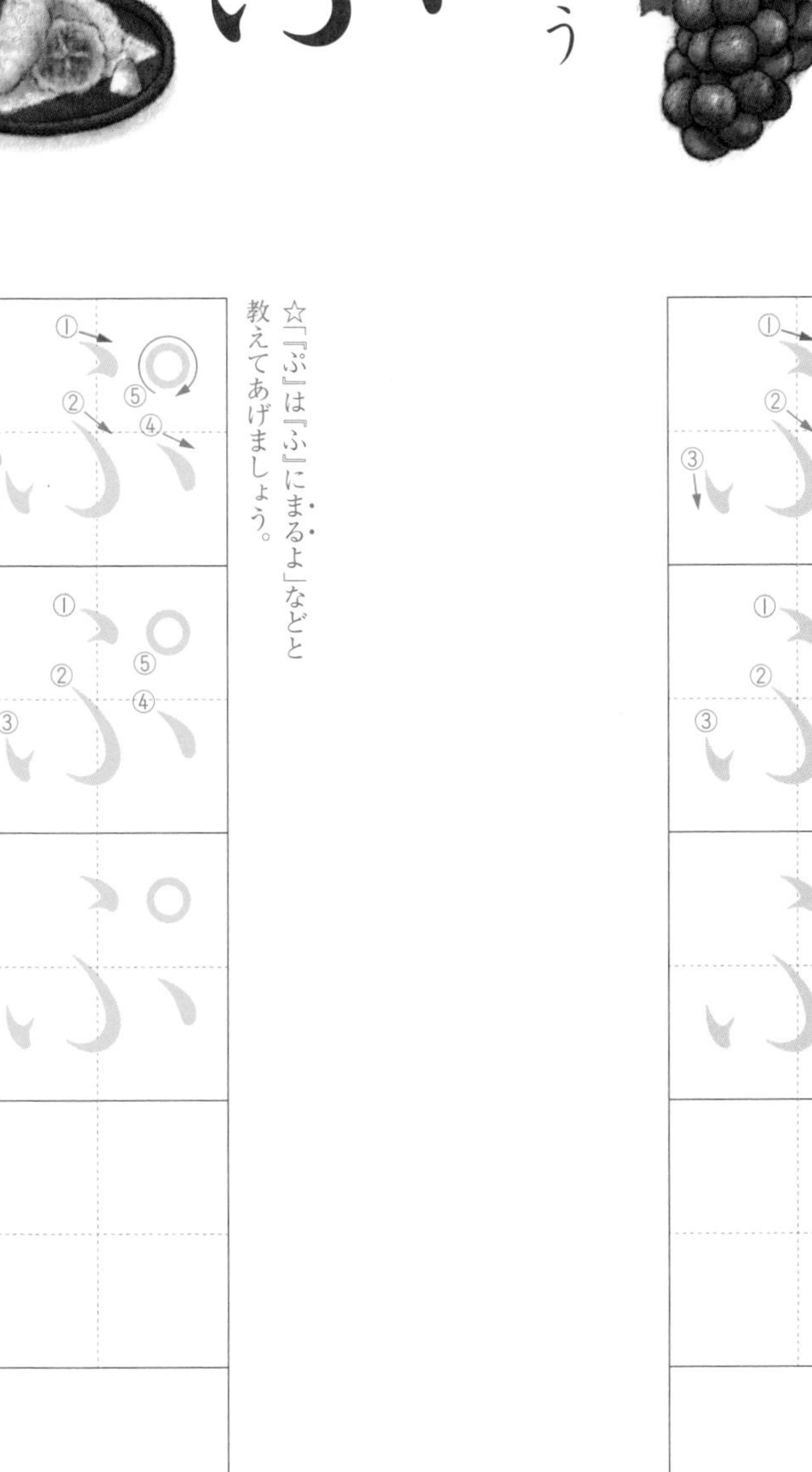

☆「ぷ」は「ふ」にまるよ」などと教えてあげましょう。

えを みて、ひらがなを かきましょう。（なぞりましょう。）
こえに だして ことばを よみましょう。

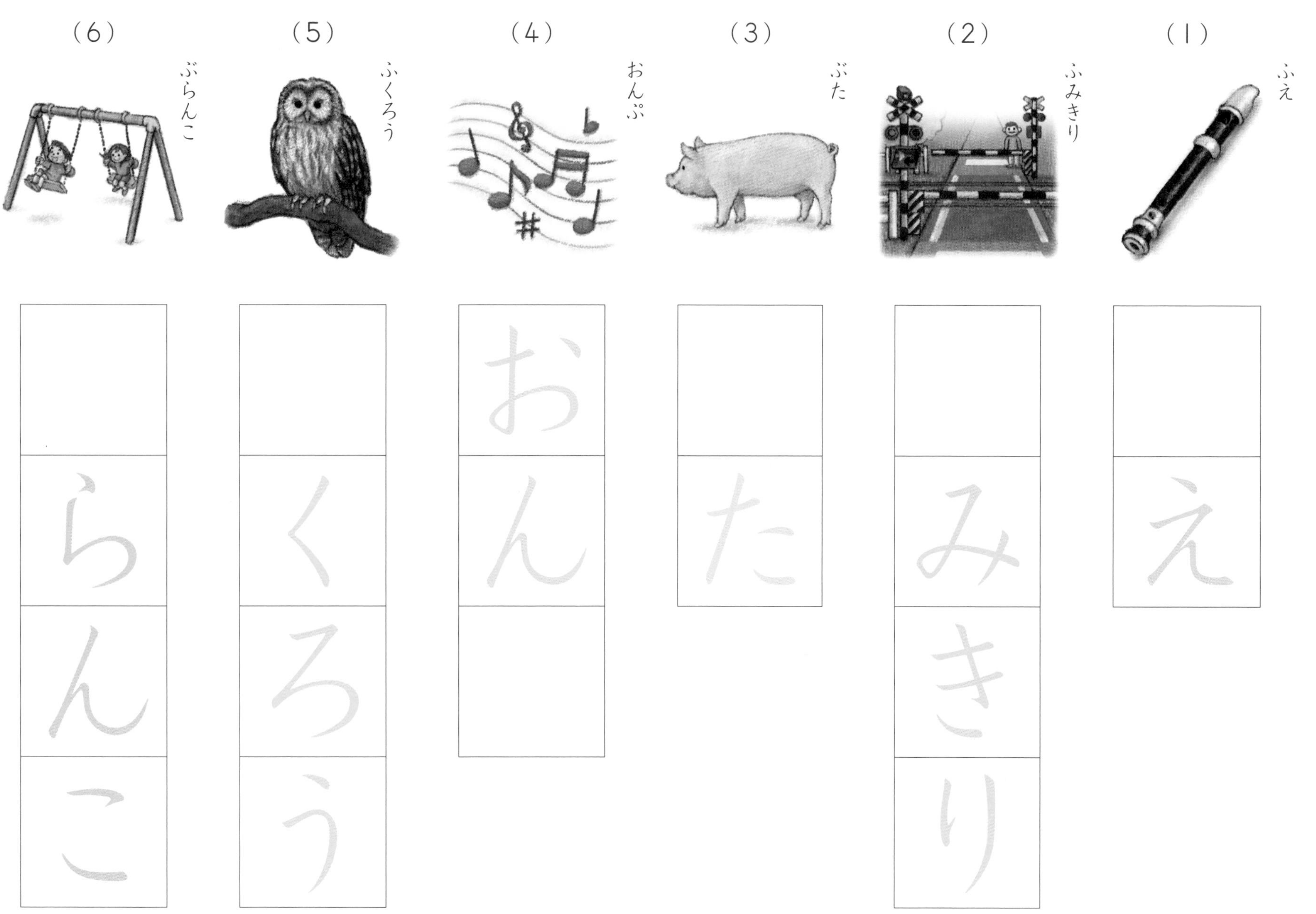

51 「を」の れんしゅう

がつ　にち
なまえ

おうちのかたへ
「を」もやはり形をとらえにくいひらがなですので、ゆっくりていねいに練習しましょう。書けたら、おうちのかたがいっしょに「はをみがく」「てをあげる」と、声に出してリズムよく読んであげましょう。「を」を使った短い文をくり返し、声に出して読むことで、「を」の正しい使い方が身につきます。

ぶんを よみましょう。ひらがなを かきましょう。（なぞりましょう。）

を

ほんを よむ

☆十字線をよく見て、書き出しの場所に気をつけましょう。

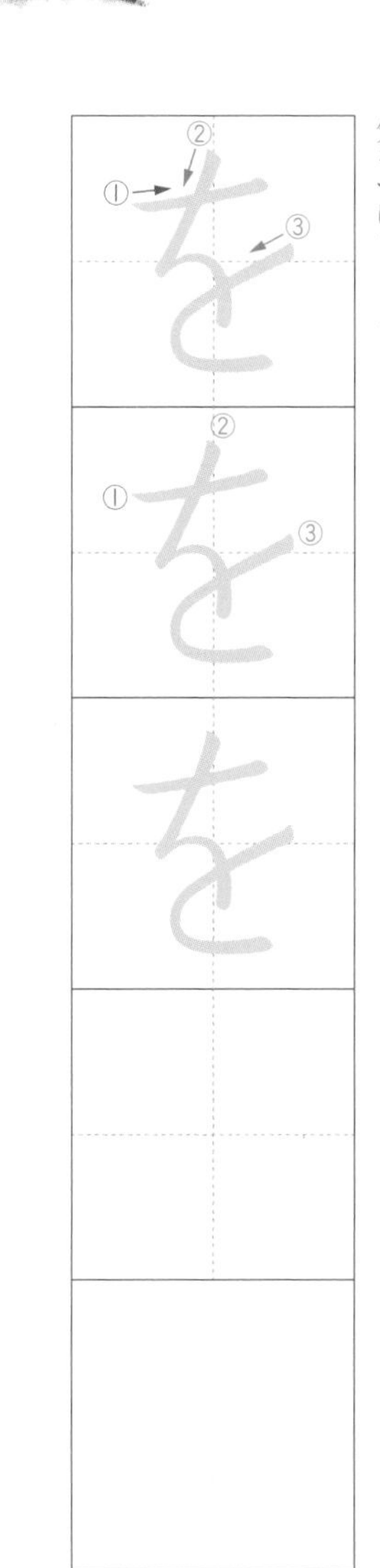

・はを みがく

・てを あげる

・えを かく

えを みて、ひらがなを かきましょう。（なぞりましょう。）
こえに だして ぶんを よみましょう。

（1）

ほんを よむ

ほん　よむ

（2）

はを みがく

は　みがく

（3）

てを あげる

て　あげる

（4）

みずを のむ

みず　のむ

（5）

うたを うたう

うた　うたう

52 「ゆ・ふ・ぶ・ぷ・を」の まとめ

がつ
にち
なまえ

おうちのかたへ
「ゆ」から「を」のまとめです。白いマス以外も、ゆっくりていねいになぞりましょう。お子さまの書く力、なぞる力も、かなりのびてきたのではないでしょうか。お子さまが前より少しでもよくできるようになったことを見つけて、おおいにほめてあげましょう。

えを みて、ひらがなを かきましょう。(なぞりましょう。)
こえに だして ことばや ぶんを よみましょう。

(1) き
(2) おんぷ　おん
(3) かた
(4) た
(5) うせん
(6) くつを はく　く つ 　は く

えを　みて、ひらがなを　かきましょう。（なぞりましょう。）
こえに　だして　ことばや　ぶんを　よみましょう。

53 「か」から「を」の まとめ ❶

がつ　にち　なまえ

おうちのかたへ
「か」から「を」までの16枚のまとめです。とくに形のとらえにくいひらがなが多くなっていますので、難しい場合は、前のページや巻末の「おけいこボード」を手元において、見ながら書くとよいでしょう。多少、形が整っていない字があってもかまいません。書きおわったら、1枚がんばって完成させたことをおおいにほめてあげましょう。

えを みて、ひらがなを かきましょう。（なぞりましょう。）
こえに だして ことばや ぶんを よみましょう。

（1）□お

（2）□た

（3）か□

（4）□し

（5）□がぐつ

（6）け□し

（7）は□ みがく

えを みて、ひらがなを かきましょう。（なぞりましょう。）
こえに だして ことばや ぶんを よみましょう。

（1）たんぽ□

（2）□うし

（3）□きだるま

（4）□くろう

（5）□もちゃ

（6）みず□のむ

54 「か」から「を」の まとめ ❷

がつ
にち
なまえ

えを みて、ひらがなを かきましょう。（なぞりましょう。）
こえに だして ことばを よみましょう。

（1）
□え

（2）
ざる
□る

（3）
□め

（4）
□ま

（5）
□くら

（6）
□んぎょ

（7）
□うやけ

おうちのかたへ
うら面は、今までに出てきたことばを使ったしりとりになっています。しりとりは、覚えたことばを楽しく復習する助けになるので、ふだんからしりとりで遊んであげるとよいでしょう。しりとり遊びを通してひらがなの読み書きの定着をはかる、くもんの幼児ドリル『ひらがなしりとりあそび』も、次の段階としておすすめしています。

えに　あう　ひらがなを　かいて（なぞって）、しりとりを　しましょう。

（1）

ん

う

き

（2）

つ

ね

（3）

ぎ

（4）

ん

こ

う

（5）

ま

（6）

ん

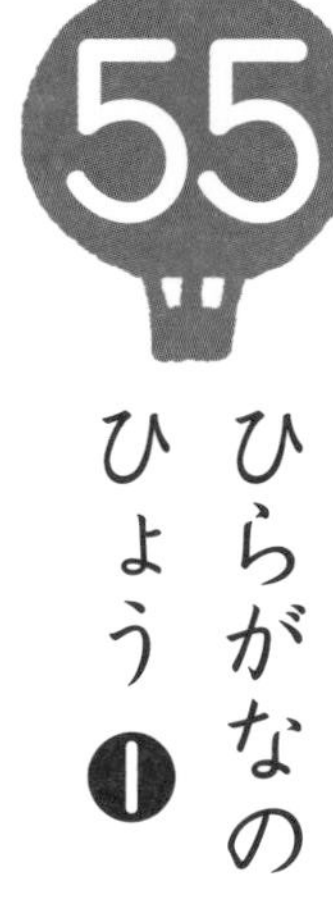

55 ひらがなの ひょう ❶

がつ
にち
なまえ

おうちのかたへ
ここまでで、すべての清音・濁音・半濁音の練習をおえました。あいうえお表を書いて、習ったひらがなのまとめをしましょう。書きおわったら、ここまでのお子さまのがんばりをおおいにほめてあげてください。

ひらがなを なぞって（かいて）、ひょうを つくりましょう。

ま	は	な	た	さ	か	あ
み	ひ	に	ち	し	き	い
む	ふ	ぬ	つ	す	く	う
め	へ	ね	て	せ	け	え
も	ほ	の	と	そ	こ	お

ひらがなを なぞって(かいて)、ひょうを つくりましょう。

や	ら	わ	ん
や	ら	わ	ん
(い)	り	(い)	
ゆ	る	(う)	
(え)	れ	(え)	
よ	ろ	を	

が	ざ	だ	ば
が	ざ	だ	ば
ぎ	じ	ぢ	び
ぐ	ず	づ	ぶ
げ	ぜ	で	べ
ご	ぞ	ど	ぼ

ぱ
ぱ
ぴ
ぷ
ぺ
ぽ

56 ちいさい「っ」(つまる音)の れんしゅう

がつ　にち　なまえ

おうちのかたへ
ここからは、促音(つまる音)、拗音(ねじれる音)をまとめて学習していきます。青い十字の点線を手がかりに、小さい「っ」を書く場所と大きさに気をつけましょう。書けたら、ことばを声に出して読みましょう。難しい場合は、おうちのかたがいっしょに読んであげましょう。

ことばを よみましょう。ひらがなを かきましょう。(なぞりましょう。)

きって

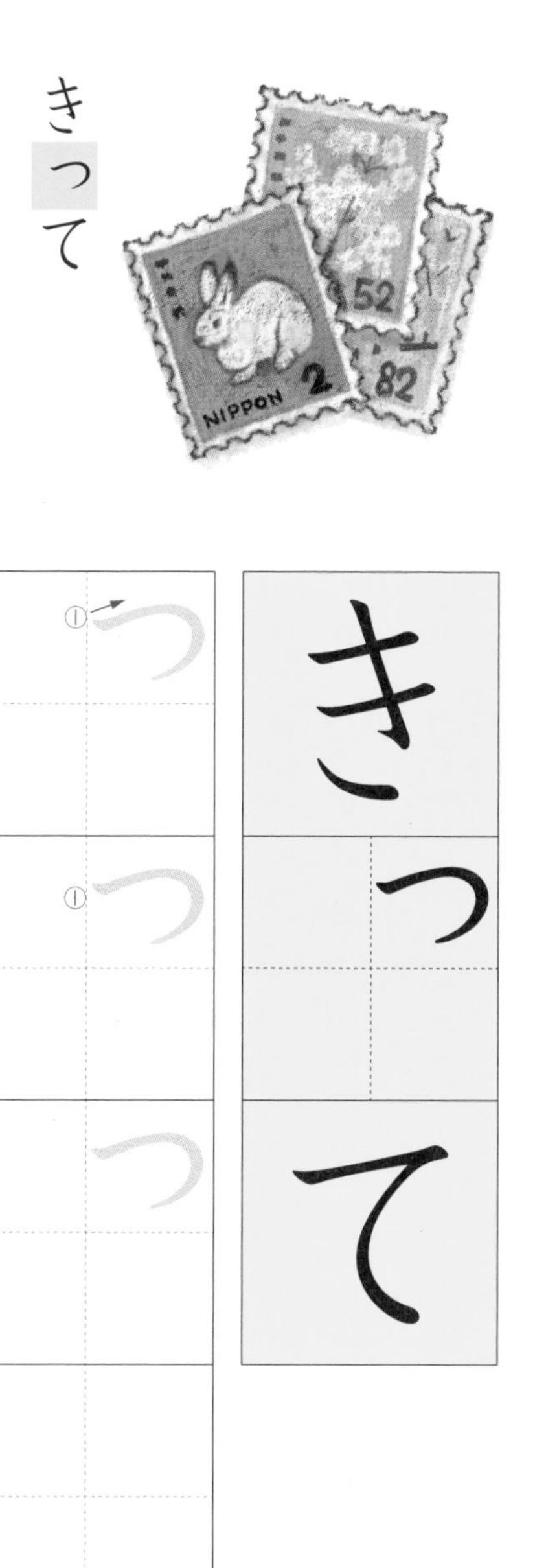

せっけん

かっぱ

きっぷ

えを みて、ひらがなを かきましょう。（なぞりましょう。）
こえに だして ことばを よみましょう。

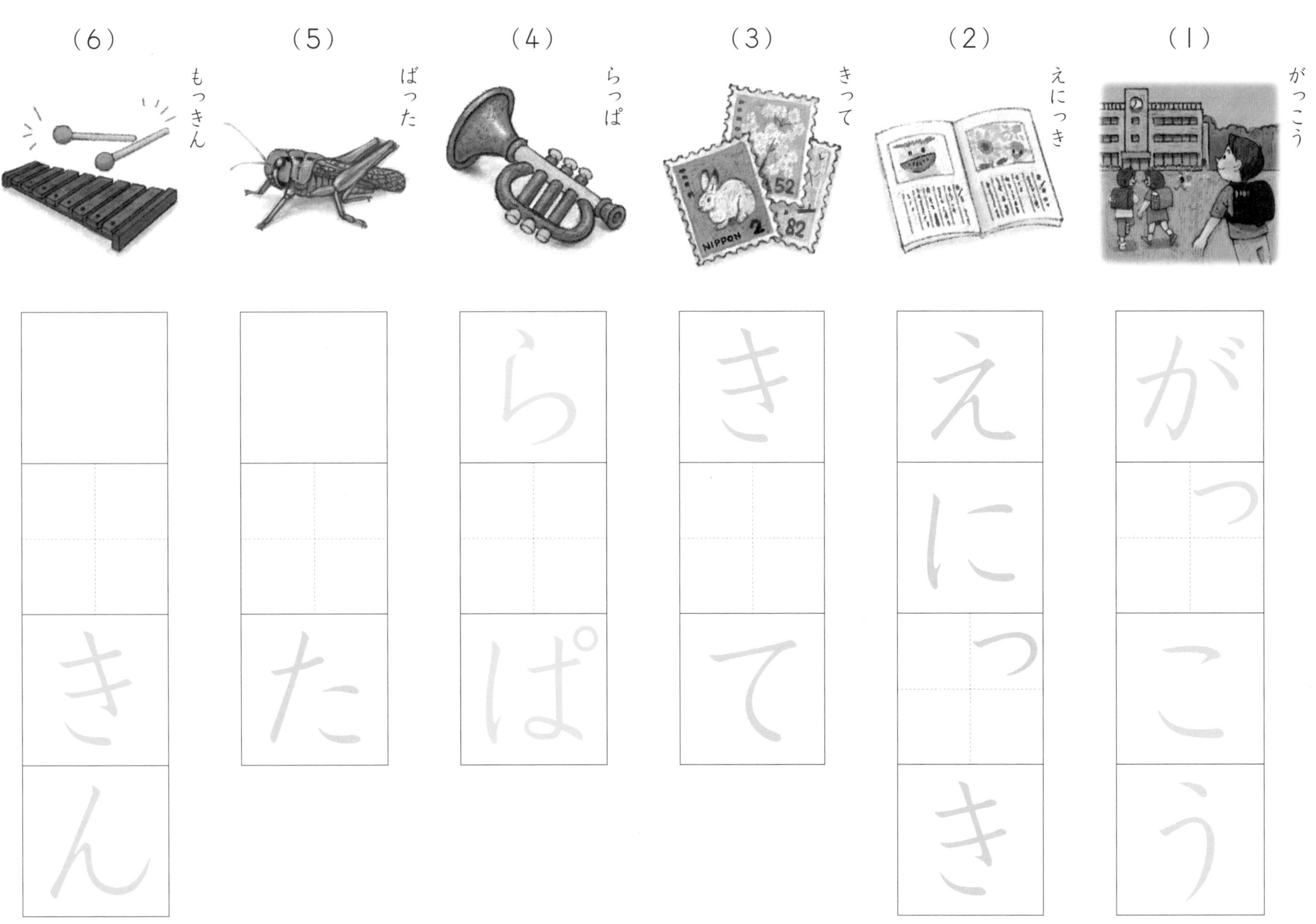

57 ちいさい「や・ゆ・よ」(ねじれる音(おん))の れんしゅう ❶

がつ にち なまえ

おうちのかたへ
「きゃ、きゅ、きょ、ぎゃ、ぎゅ、ぎょ」と、まずおうちのかたが文字を指さしながら、リズムよく読んであげてください。書きおわったあともくり返し声に出してみましょう。

おてほんを みながら、ひらがなを かきましょう。(なぞりましょう。)
こえに だして ことばを よみましょう。

きゃ きゃ
ぎゃ ぎゃ
きゅ きゅ
ぎゅ ぎゅ
きょ きょ
ぎょ ぎょ

きゅうり

きんぎょ

おてほんを みながら、ひらがなを かきましょう。(なぞりましょう。)
こえに だして ことばを よみましょう。

しゃ しゃ
しゅ しゅ
しょ しょ

じゃ
じゅ
じょ

しゃしん

しん

はくしゅ

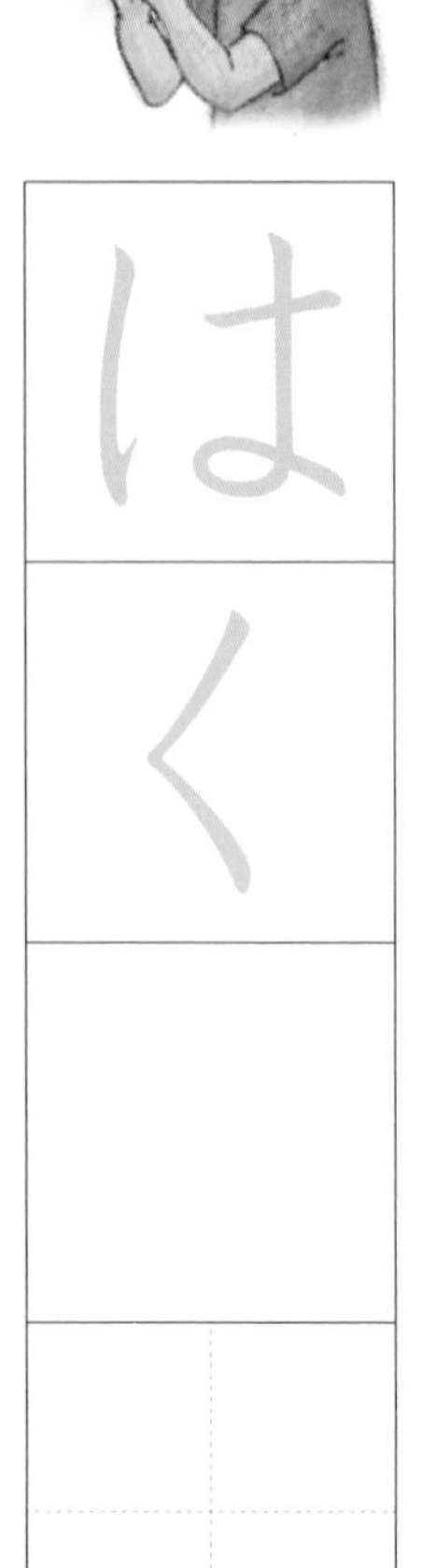

はく

58 ちいさい「や・ゆ・よ」(ねじれる音(おん))の れんしゅう❷

がつ　にち　なまえ

おうちのかたへ
「ぢゃ」「ぢゅ」「ぢょ」などは、ことばのなかでふれることが非常に少ないひらがなですので、すぐに正しく読み書きできるようになる必要はありません。ここでは、ひととおり拗音を書いて、おうちのかたといっしょに声に出すことを楽しめればよいでしょう。

おてほんを みながら、ひらがなを かきましょう。(なぞりましょう。)
こえに だして ことばを よみましょう。

ちゃ　ちゅ　ちょ

ぢゃ　ぢゅ　ぢょ

おてほんを　みながら、ひらがなを　かきましょう。（なぞりましょう。）
こえに　だして　ことばを　よみましょう。

にゃ
にゅ
にょ

ひゃ
ひゅ
ひょ

びゃ
びゅ
びょ

こんにゃく

こんにゃく

59

ちいさい「や・ゆ・よ」(ねじれる音(おん))の れんしゅう ❸

がつ
にち
なまえ

おうちのかたへ
おもて面では、拗音をひととおり書いて、声に出してみましょう。うら面からは、拗音を使ったことばがたくさん出てきます。書きおわったら、おうちのかたといっしょに、声に出してくり返し読みましょう。

おてほんを みながら、ひらがなを かきましょう。

ぴゃ

みゃ

りゃ

ぴゅ

みゅ

りゅ

ぴょ

みょ

りょ

えを みて、ひらがなを かきましょう。（なぞりましょう。）
こえに だして ことばを よみましょう。

（１） ちゅうしゃ

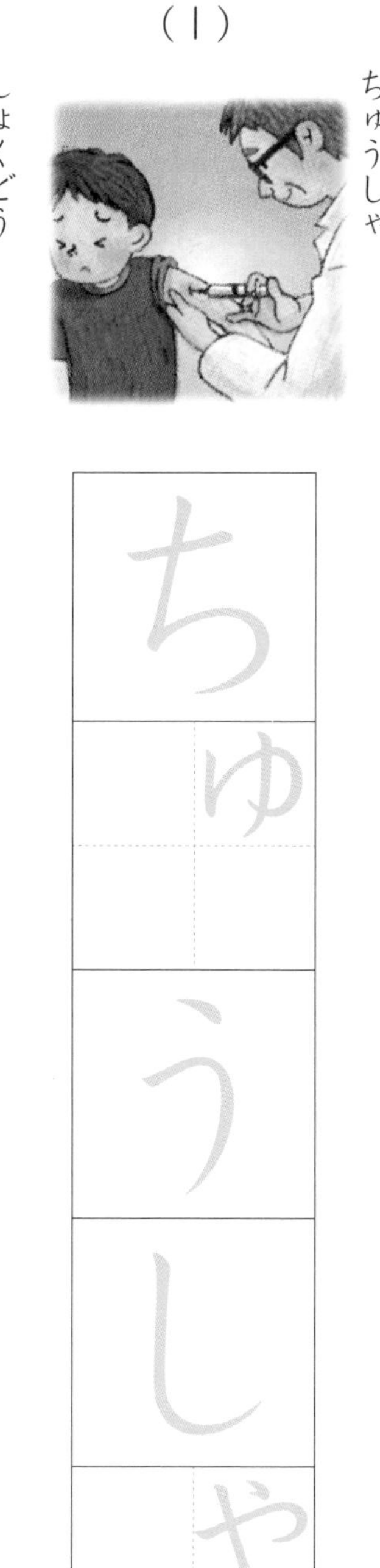

（２） しょくどう

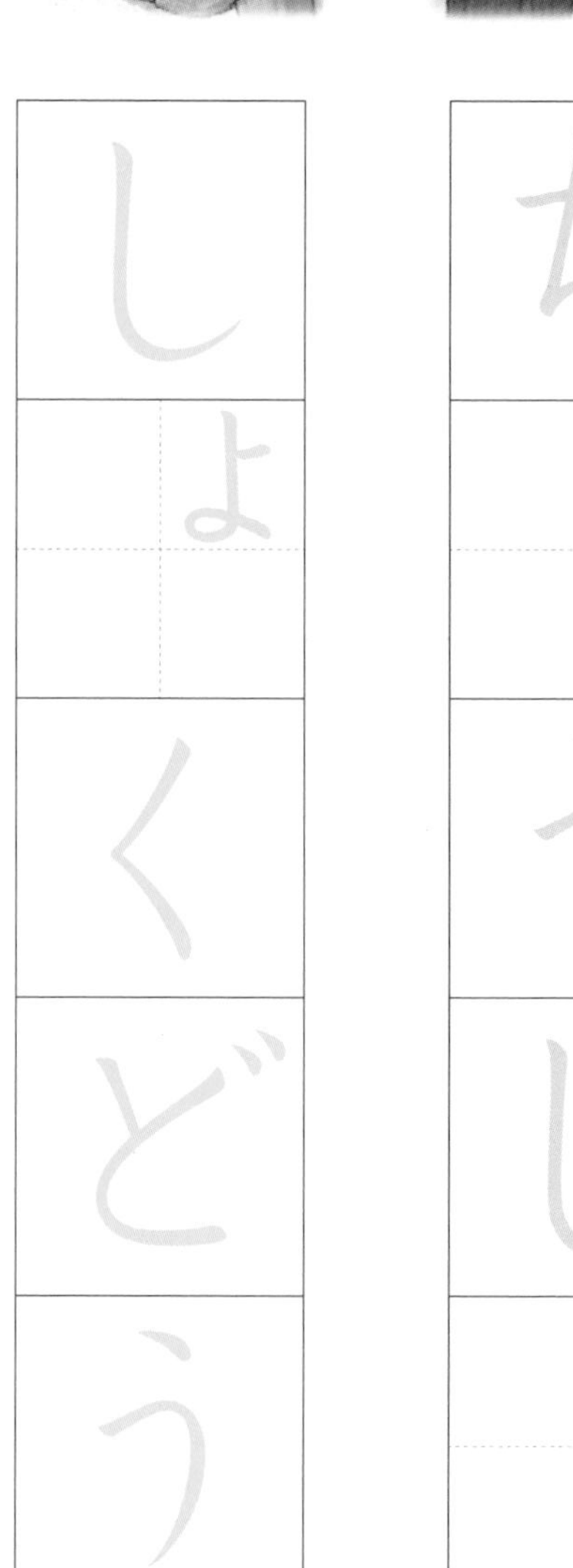

（３） おもちゃ

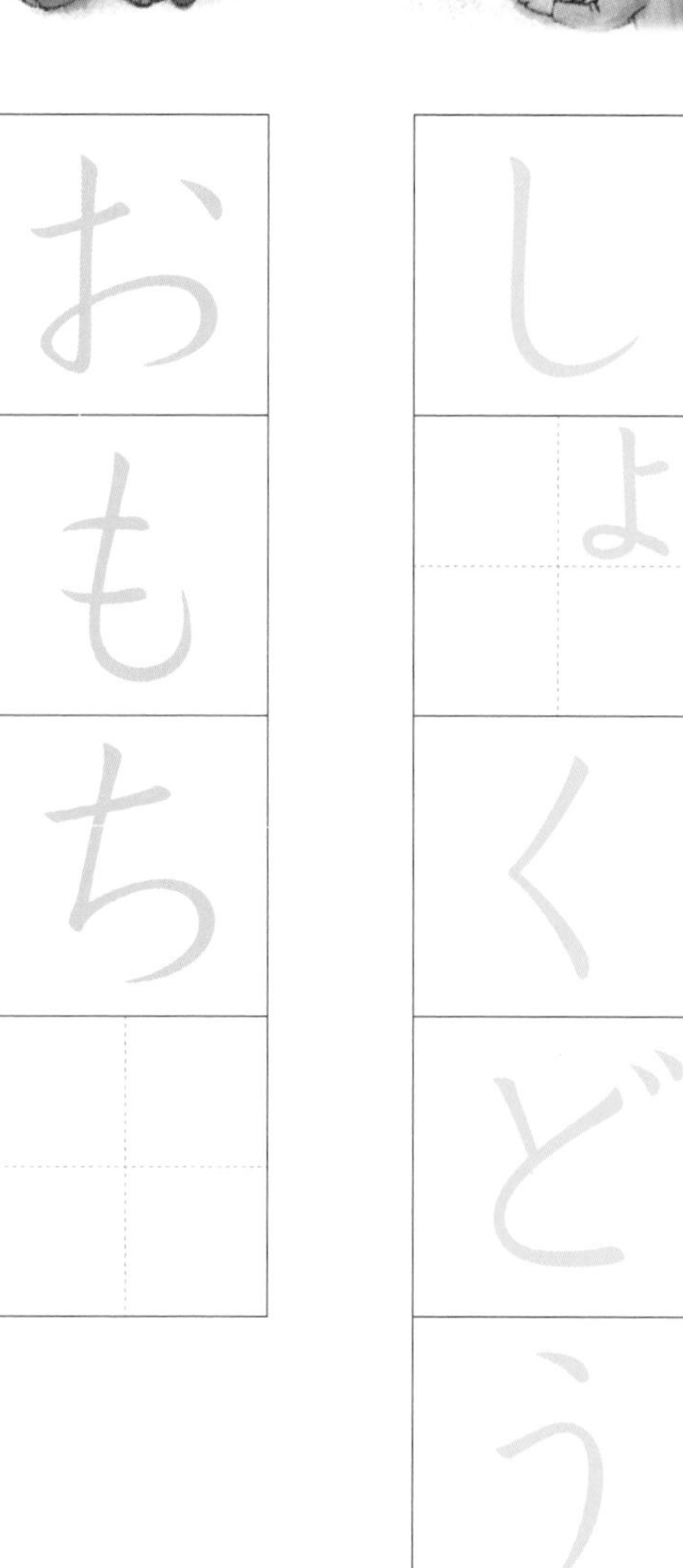

（４） ひゃくえん

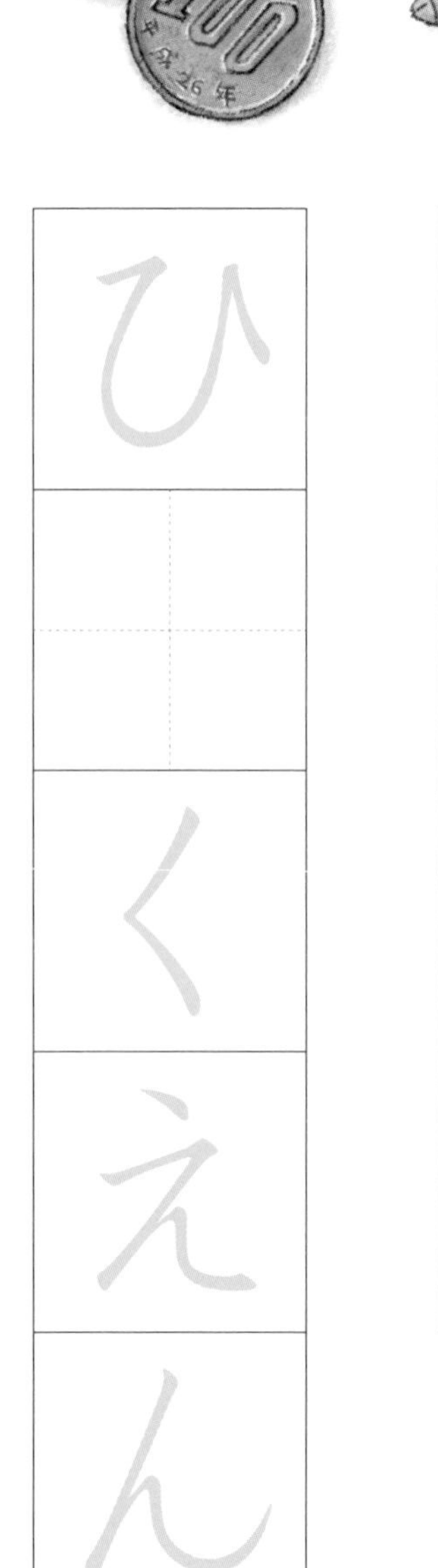

（５） ほうちょう

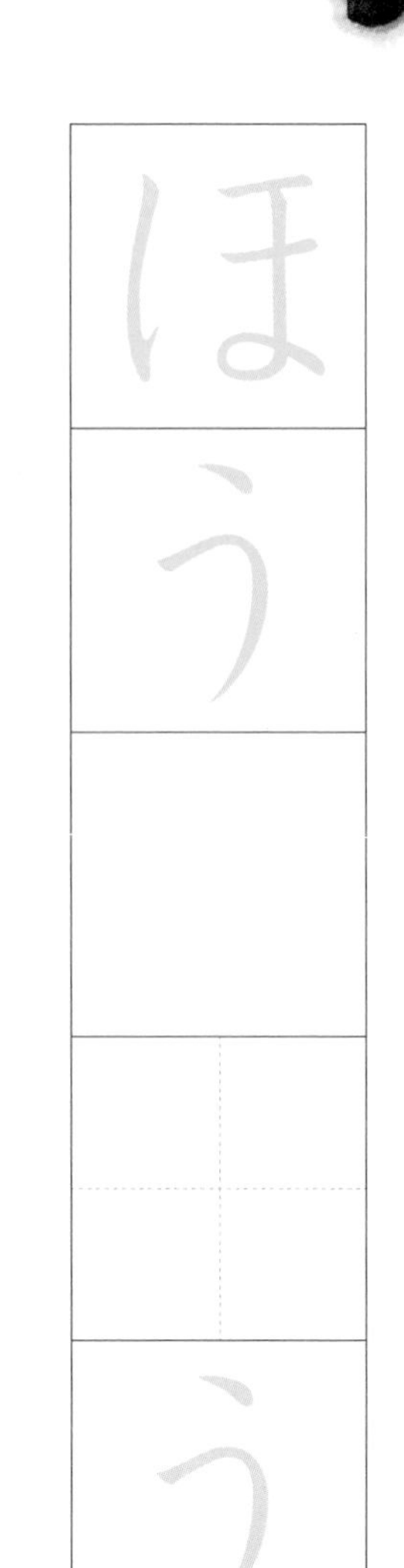

（６） じゃがいも

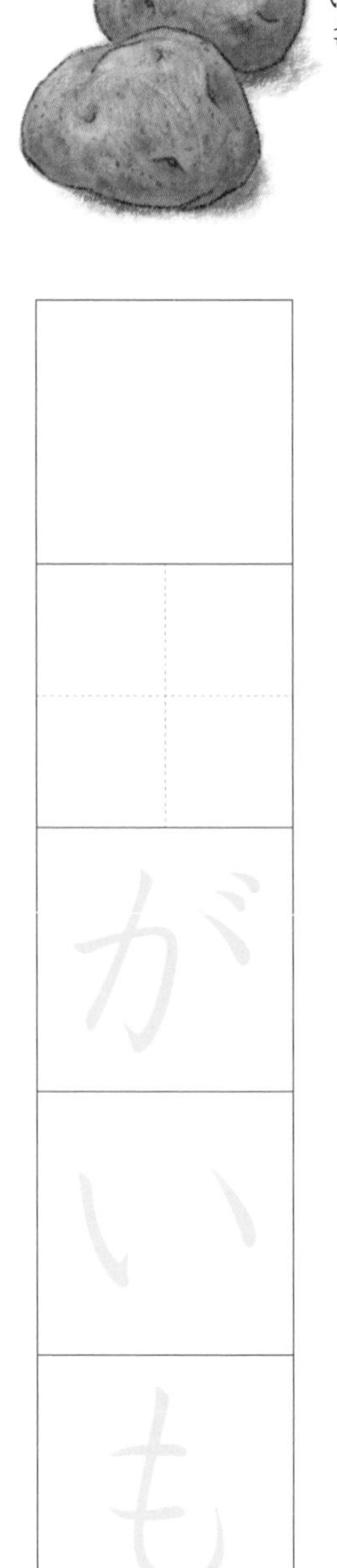

60 ちいさい「や・ゆ・よ」(ねじれる音)の れんしゅう ❹

がつ　にち　なまえ

おうちのかたへ
ここでも、ことばのなかでいろいろな拗音を書いてみましょう。小さい「ゃ・ゅ・ょ」の使い方を身につけることは、お子さまにとってとくに難しいことですので、すぐに覚えられなくてもあせる必要はありません。手が止まってしまうときは、「絵の横のひらがなをよく見てごらん」と声をかけたり、「そこは小さい『ゅ』だね」と教えてあげたりしてもよいでしょう。

えを みて、ひらがなを かきましょう。(なぞりましょう。)
こえに だして ことばを よみましょう。

えを みて、ひらがなを かきましょう。（なぞりましょう。）
こえに だして ことばを よみましょう。

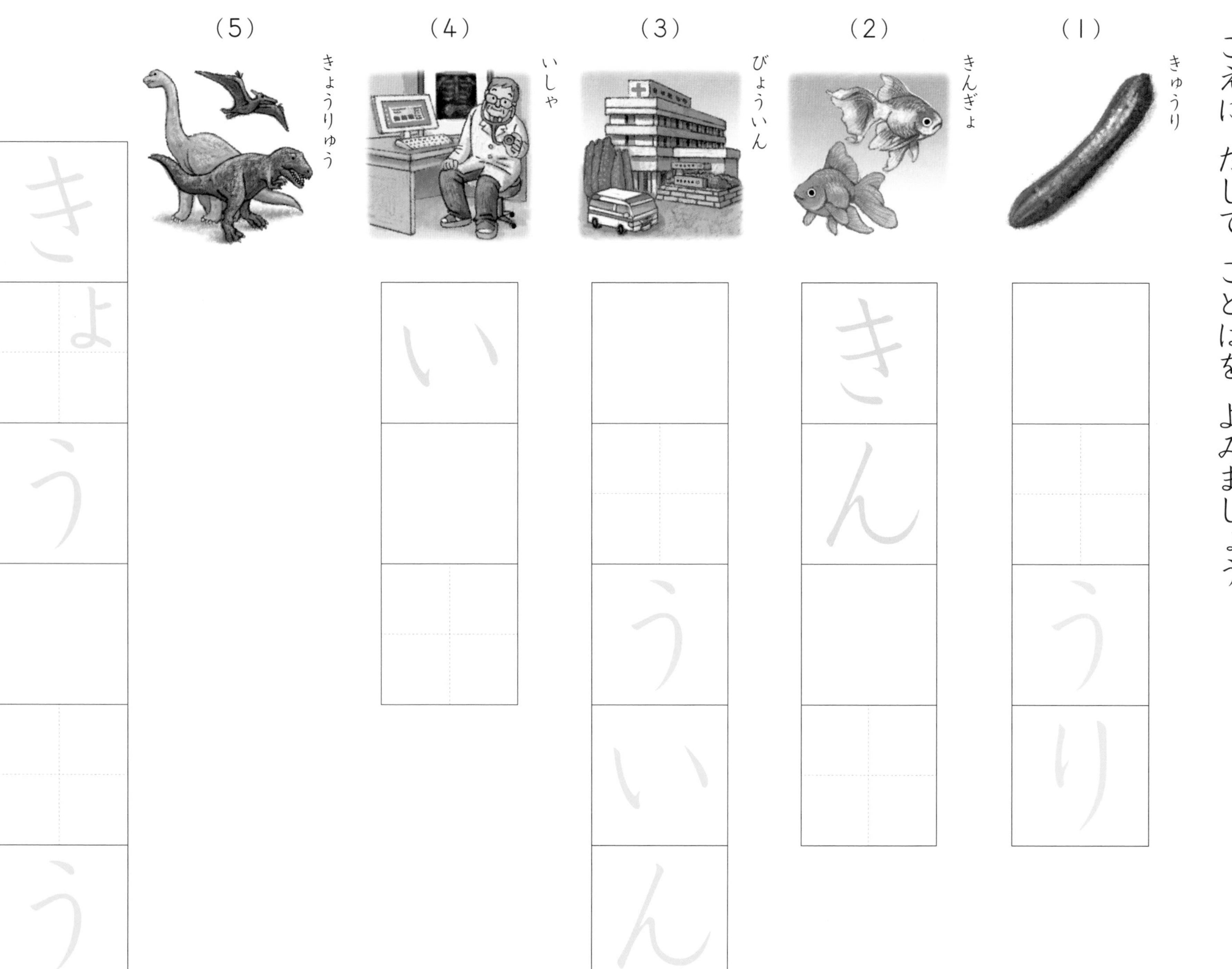

61 ちいさい「っ・ゃ・ゅ・ょ」の まとめ

がつ　にち　なまえ

おうちのかたへ
今まで出てきたことばをもう一度書いて、拗音と促音のまとめをします。難しい場合は、横にお手本を書いてあげたり、「『しゃ』は『し』に小さい『ゃ』だね」などと、声をかけてあげたりしながら進めてください。

✏えを みて、ひらがなを かきましょう。（なぞりましょう。）
こえに だして ことばを よみましょう。

（1）□□て

（2）でん□□

（3）□□うしゃ

（4）□□た

（5）ほう□□う

えを みて、ひらがなを かきましょう。(なぞりましょう。)
こえに だして ことばを よみましょう。

(1) □□ぷ

(2) □□しん

(3) □□けん

(4) □□くえん

(5) かぼ□□

(6) □□がいも

ひらがなの　まとめ

がつ　　にち
なまえ

おうちのかたへ
ひらがな全体のまとめです。本書全体を通してくり返し出てきたことばを、もう一度書いてみましょう。ここまでのお子さまのがんばりをおおいにほめてあげましょう。

えを　みて、ひらがなを　かきましょう。（なぞりましょう。）
こえに　だして　ことばを　よみましょう。

（1）く□

（2）ふ□

（3）□□

（4）□□

（5）□□ぱ

（6）れい□□こ

（7）す□り□い

（8）□□げ

えを　みて、ひらがなを　かきましょう。（なぞりましょう。）
こえに　だして　ことばや　ぶんを　よみましょう。

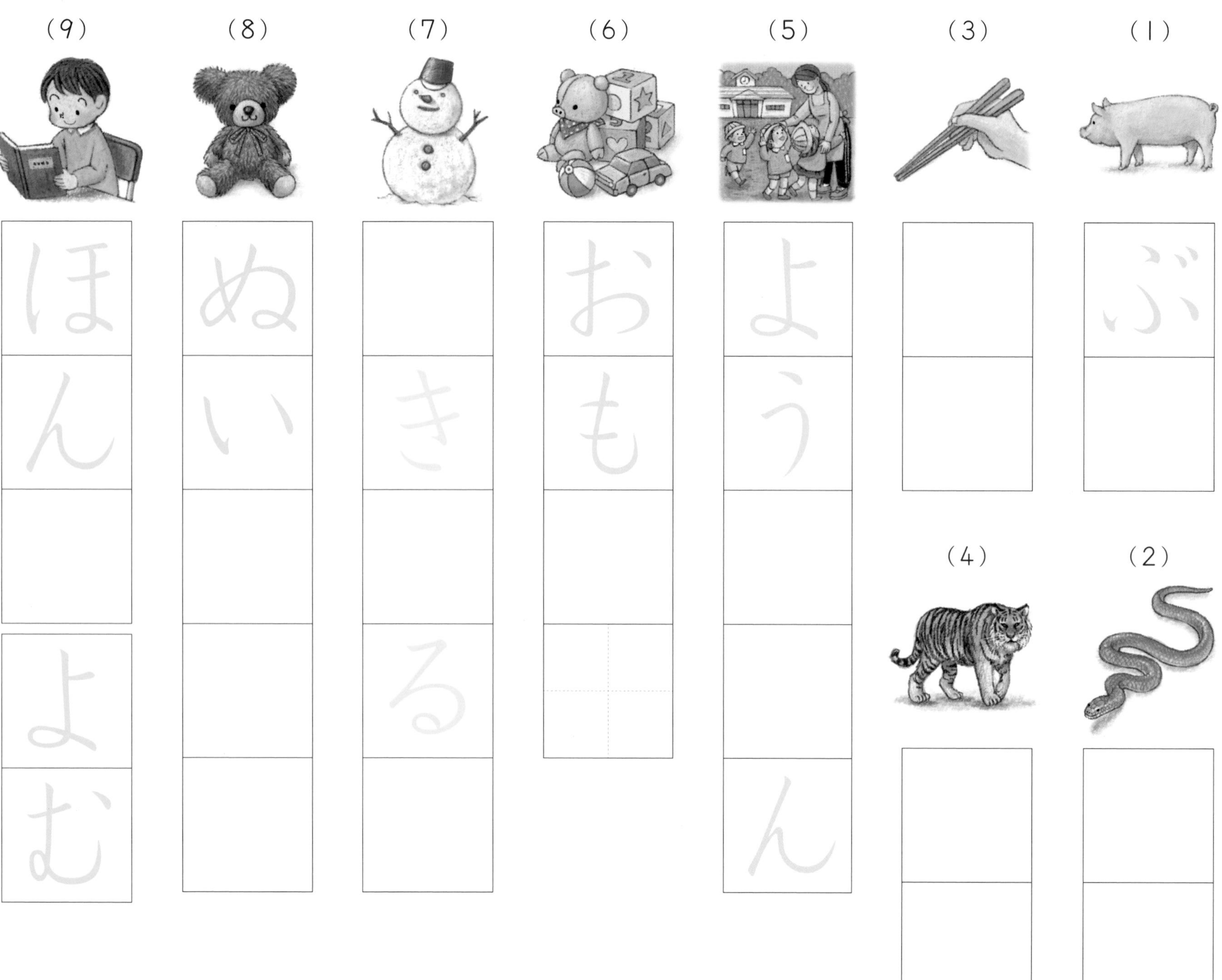

(1) ぶ

(2)

(3)

(4)

(5) ようえん

(6) おもちゃ

(7) ゆきだるま

(8) ぬいぐるみ

(9) ほんを　よむ

63 ひらがなの ひょう❷

がつ

にち

なまえ

おうちのかたへ

最後にすべての清音、濁音、半濁音をあいうえお順に書いて、表を作ります。書きおわったら、巻末の表彰状に名前と日付を書いて、お子さまに渡してあげてください。このページといっしょに、かべにはってもよいでしょう。最後までやりとげることができたという達成感を、これからのお子さまの成長につなげましょう。

ひらがなを かいて、ひょうを つくりましょう。

ま	は	な	た	さ	か	あ
み	ひ	に	ち	し	き	い
む	ふ	ぬ	つ	す	く	う
め	へ	ね	て	せ	け	え
も	ほ	の	と	そ	こ	お

ひらがなを かいて、ひょうを つくりましょう。

や	ら	わ	ん
(い)	り	(い)	
ゆ	る	(う)	
(え)	れ	(え)	
よ	ろ	を	

が	ざ	だ	ば
ぎ	じ	ぢ	び
ぐ	ず	づ	ぶ
げ	ぜ	で	べ
ご	ぞ	ど	ぼ

ぱ
ぴ
ぷ
ぺ
ぽ

図書カード プレゼント!

『お客さまアンケート』ご協力のお願い

この度は、くもんの商品をお買い上げいただき、誠にありがとうございます。
わたしたちは、出版物や教育関連商品を通じて
子どもたちの未来に貢献できるよう、日々商品開発を行っております。
今後の商品開発や改訂の参考とさせていただきますので、
本商品につきまして、お客さまの率直なご意見・ご感想をお聞かせください。

裏面のアンケートにご協力いただきますと、
図書カード（1,000 円分）を
抽選で毎月 100 名様に、プレゼントいたします。
＊「図書カード」の抽選結果発表は、賞品の発送をもってかえさせていただきます。

『お客さまアンケート』個人情報保護について

『お客さまアンケート』にご記入いただいたお客さまの個人情報は、
以下の目的にのみ使用し、他の目的には一切使用いたしません。
①弊社内での商品企画の参考にさせていただくため
②当選者の方へ「図書カード」をお届けするため
③ご希望の方へ、公文式教室の入会や、先生になるための資料をお届けするため
資料の送付、教室のご案内に関しては公文教育研究会からさせていただきます。

なお、お客さまの個人情報の訂正・削除につきましては、下記の窓口までお申し付けください。

くもん出版お客さま係
東京都港区高輪 4-10-18　京急第 1 ビル 13F
0120-373-415（受付時間 月〜金 9：30 〜 17：30　祝日除く）
E-mail info@kumonshuppan.com

きりとり線

郵便はがき

料金受取人払郵便

高輪局承認

5799

差出有効期間
平成31年5月
31日まで

切手を貼らずに
ご投函ください。

108-8790

414

東京都港区高輪 4-10-18
京急第 1 ビル　13F
(株)くもん出版
お客さま係　行

フリガナ	
お名前	
ご住所	〒□□□-□□□□　都道府県　区市郡
ご連絡先	TEL　(　　　)
Eメール	@

『公文式教室』へのご関心についてお聞かせください。
1. すでに入会している　2. 以前通っていた　3. 入会資料がほしい　4. 今は関心がない
5. BabyKumon に入会している　6. BabyKumon に以前入会していた　7. BabyKumon 入会資料がほしい

公文式では随時、指導者（先生）を募集しております。
ご関心をお持ちいただいた方には、教室開設に関する資料をお送りしますので、
以下にご自身のお名前・ご年齢をお書きください。

お名前（　　　　　　）　ご年齢（　　）歳

詳しくはホームページをご覧ください　くもんの先生　検索

きりとり線

できたね！シート

おおきな　シールは　うらに　はってね！

1まい　おわったら、すきな　シールを「できたね！シート」に　1まいずつ　はりましょう。
ぜんぶ　おわったら、おおきな　シールを　うらの　ひょうしょうじょうに　はりましょう。

							1	2	3	4
							5	6	7	8
9	10	11	12	13	14	15	16	17	18	19
20	21	22	23	24	25	26	27	28	29	30
31	32	33	34	35	36	37	38	39	40	41
42	43	44	45	46	47	48	49	50	51	52
53	54	55	56	57	58	59	60	61	62	63

24808「ひらがなおけいこ」　　ご記入日（　　年　　月）

お子さまの年齢・性別　年齢（　　歳　　ヶ月）　男 ／ 女

お求めになったお店はどちらですか？（　　　　）

この商品についてのご意見、ご感想やご提案などをお聞かせください。

Q1 このドリルを選ばれた理由は？

1. お子さまが希望した　2. 内容がよさそう　3.「くもん」の商品だから　4.「くもん」の他のドリルを使ってみてよかったから　5. その他（　　　　）

Q2 お子さまの様子はいかがでしたか？

1. 喜んでどんどん学習した　2. つまるところもあったが、ほぼ喜んで学習した　3. うまく学習できず進めるのに苦労した　4. その他（　　　　）

Q3 ドリルを使ってみていかがでしたか？

1. 大変満足　2. 満足　3. ふつう　4. やや不満　5. 不満　6. その他（　　　　）

Q4 これまでに、このようなドリルを購入したことがありますか？

1. はじめて購入した　2. 購入したことがある：くもんのドリル（　　）冊　他社（　　）冊

Q5 今後の企画に活用させていただくために、ドリルのご感想などについて、弊社より電話や手紙でお話をうかがうことはできますか？

1. 情報提供に応じてもよい　2. 情報提供には応じたくない

ご協力、どうもありがとうございました。

きりとり線

くもんの幼児ドリルについて お知りになりたいお客さまへ

くもん出版公式ウェブサイトでは、
幼児ドリルについてのさまざまな情報を掲載しております。
詳しくお知りになりたいお客さまは、ウェブサイトをご覧ください。

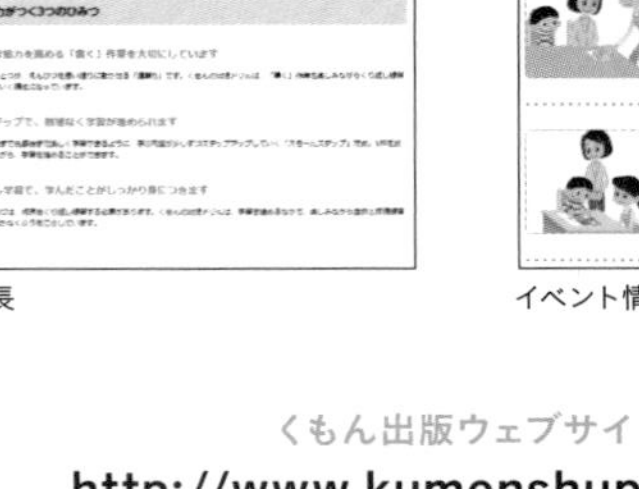

トップページ

選びかたナビ

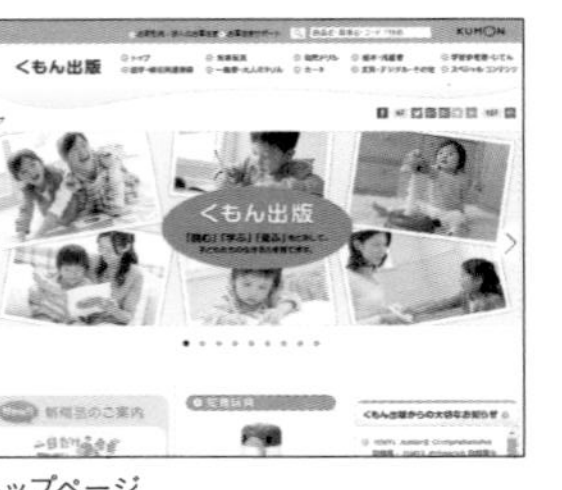

商品の特長

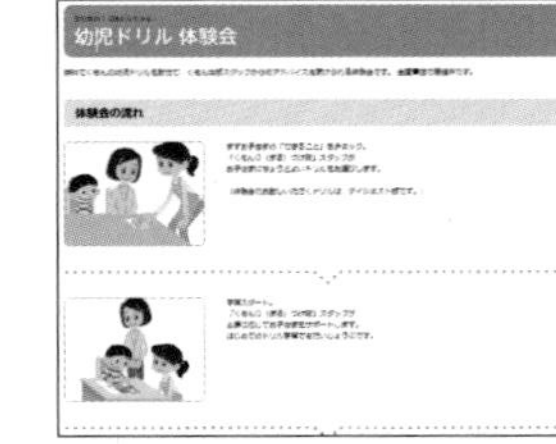

イベント情報

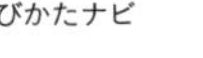

くもん出版ウェブサイト
http://www.kumonshuppan.com/
くもん出版　検索

きりとり線

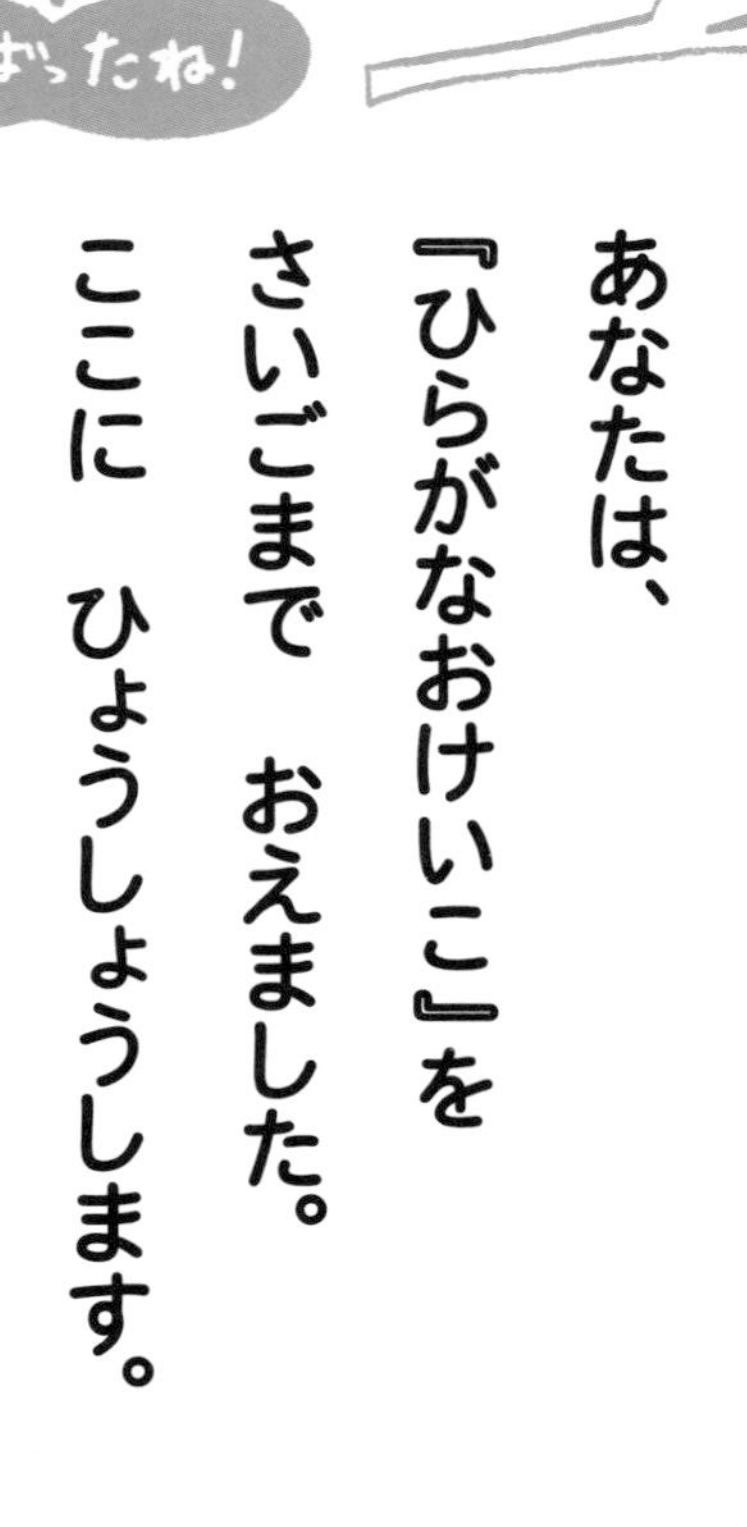

ひょうしょうじょう

どの

あなたは、
『ひらがなおけいこ』を
さいごまで　おえました。
ここに　ひょうしょうします。
これからも　がんばってください。

年　月　日

より

おおきな　シールを
ここに　はりましょう。

KUMON

＊おうちのかたへ　お子さまの名前と終了した年月日を書き入れて、「できたね！ シール」から、大きなシールをはりましょう。